AS RELIGIÕES DO MUNDO

AS RELIGIÕES DO MUNDO

CRISTIANISMO - ISLAMISMO
JUDAÍSMO - BUDISMO - HINDUÍSMO

CLAUDIO BLANC

Camelot
EDITORA

Copyright © 2021 Claudio Blanc
Direitos reservados e protegidos pela lei 9.610 de 19.2.1998.
Nenhuma parte deste livro pode ser reproduzida, arquivada em sistema de busca ou transmitida por qualquer meio, seja ele eletrônico, xérox, gravação ou outros, sem prévia autorização do detentor dos direitos, e não pode circular encadernada ou encapada de maneira distinta daquela em que foi publicada, ou sem que as mesmas condições sejam impostas aos compradores subsequentes.
1ª Edição 2021

Presidente: Paulo Roberto Houch
MTB 0083982/SP

Programadora Visual: Evelin Cristine Ribeiro (capa)
Edição: Priscilla Sipans (redacao@editoraonline.com.br)
Projeto Gráfico: Rubens Martim (rm.martim@gmail.com)
Imagens: Shutterstock
Vendas: Tel.: (11) 3393-7723 (vendas@editoraonline.com.br)

Impresso no Brasil.
Foi feito o depósito legal.

Dados Internacionais de Catalogação na Publicação (CIP)
(eDOC BRASIL, Belo Horizonte/MG)

B638r	Blanc, Claudio.
	As religiões do mundo / Claudio Blanc. – Barueri, SP: Camelot, 2021.
	13,5 x 20,5 cm
	ISBN 978-65-87817-09-5
	1. Religiões – História. I. Título.
	CDD 200.9

Elaborado por Maurício Amormino Júnior – CRB6/2422

Direitos reservados à
IBC – Instituto Brasileiro de Cultura LTDA
CNPJ 04.207.648/0001-94
Avenida Juruá, 762 – Alphaville Industrial
CEP. 06455-907 – Barueri/SP
www.editoraonline.com.br

Sumário

Apresentação **9**
Religião **13**
Re-ligare 13
Filosofia Perene 13
Características das Religiões 14
Três Vias 16
Símbolos 17
Mitos 18
Fundamentalismo 20
Política versus Religião 20
Identidade Religiosa 21
Ativismo Religioso 23
Islamismo Radical 23
Zelo Religioso 24
Fanatismo 25
Fundamentalismo Americano 26
Mórmons 27
Visão Polêmica 28
Poligamia 29
Racismo 30

Cristianismo **31**
Jesus e Sua Mensagem 31
Quem era Jesus? 32
Jesus era Casado? 32
Maria Madalena 33
O Vaso Sagrado 34
O Cristianismo Primitivo 35
Religião Subversiva 35
Tiago 36
A Primeira Cisão 37
Paulo de Tarso 38
Os Evangelhos 39
Os Apócrifos 40
Gnosticismo 40

Depois de Jesus 41
Os Doze Apóstolos 43
Pentecostes 44
Santos 45
Anjos 46
O Ósculo Sagrado 47
Marcião 48
O Montanismo 49
O Arianismo 50
O Concílio de Niceia 50
O Protestantismo 52
A Divisão das Igrejas
Protestantes 52
Os Diferentes Grupos 53
As Igrejas Protestantes 54
Tradicionais ou Históricas 54
Principais Igrejas Pentecostais
do Brasil 54
Primeiras Igrejas
Neopentecostais Brasileiras 54
Kardecismo 54
Allan Kardec 55

Judaísmo **57**
Um Deus Abstrato 57
Javé 58
Uma Religião de Ação 58
A Bíblia 59
A Bíblia Judaica 59
O Velho Testamento 60
O Mundo do Velho Testamento 61
O Povo de Abraão 61
Canaã 62
Jerusalém 63
A Queda de Israel 63

Sumário

Padrão Ético 64
As Doze Tribos de Israel 64
A Torá.. 65
O Código da Bíblia 66
Tese Confirmada................................ 66
Críticas... 67
Os Manuscritos do Mar Morto 67
Duas Bíblias 69
Os Essênios...................................... 69
Três Grupos...................................... 71
Refeições Comunais............................ 71
A Cabala.. 72
Outras Hipóteses................................ 73
Corrente Mística 74
Ideias Revolucionárias......................... 75
Os Primeiros Cabalistas 76
Luria.. 76
A Árvore da Vida................................ 77
Deus Oculto 78
As Sefirot... 80
Diáspora e Perseguições 82
O Sionismo 83
Palestina.. 83
Conflitos 84
Perseguição 84
O Holocausto.................................... 84
Vítimas... 87
O Judeu Combatente 87
Israel.. 87

Budismo 89
Iluminação 89
Sidarta 89
Quem foi Buda?................................. 91
As Quatro Nobres Verdades................. 91
O Caminho Óctuplo 92
Nirvana... 92
Anatta e Carma 93
Três Veículos.................................... 94
Zen-Budismo 95
Significado....................................... 96
Redoma Verbal.................................. 96
Koans 97
Vajrayana: O Budismo Tibetano 98
Atisha... 99
As Escolas do Budismo Tibetano......100

O Buda Vivo 104
O Dalai Lama...................................104
O 14º Dalai Lama 105
Consequências da Invasão
Chinesa..106
O Livro Tibetano dos Mortos 107
Nova Etapa 107
Bardo...108
Realidades Intermediárias..................108

Hinduísmo....................................111
Religião Mundial 111
Preceitos...112
Ritos 112
Panteão..113
Consortes e Veículos.........................113
Deuses Menores...............................114
Livros Sagrados................................115
Vedas...115
Upanishads 116

Islamismo 119
Árabes e Muçulmanos 119
Cultura Avançada..............................119
Expansão 120
A Arábia Pré-islâmica 121
Maomé...122
O Alcorão 124
Revelações 125
Um Novo Código Ético 125
Dois Livros.......................................126
Lembrança Amarga 126
Mini Alcorão....................................126
As Últimas Suratas 127
Ministério 127
Xiitas e Sunitas 128
Divisão...130
Os Preceitos do Islamismo 131
Uma Oração Islâmica.........................133
Jihad 133
Sufismo: O Lado Místico do Islã.......134
A Mulher no Islã 135
O Casamento 137
Jama Masjid.....................................138

Referências Bibliográficas 141

Apresentação

A religião e a religiosidade são aspectos essenciais do nosso ser, uma marca da humanidade. De fato, a vocação para o transcendente é uma característica inerentemente humana. Desde sempre, nossos ancestrais percebiam um plano invisível a sustentar o visível. Reconheciam a presença do divino em todas as criaturas e instâncias da vida e a celebravam por meio de ritos evocativos.

Com efeito, não existe um único povo que não reconheça a existência de uma dimensão sagrada, doadora e mantenedora da vida. Registros arqueológicos revelam que a ideia de Deus ou de entidades divinas tem sido cultivada em todas as épocas e por todas as culturas. Nos primórdios da nossa espécie, a importância da religião era tanta que a partir dela se originaram as artes e as ciências. A busca da humanidade de celebrar o divino por meio de rituais criou a dança, a música e a necessidade de representá-lo fez os primitivos inventarem a pintura, cobrindo as paredes dos templos-cavernas paleolíticos. Depois, no período Neolítico – cerca de 8.000 anos a.C. –, quando as mulheres domesticaram as plantas e os animais, elas tiveram de olhar para o céu para determinar as estações que regiam os ciclos dos vegetais de que dependiam, e aprenderam a astronomia, a matemática e outras ciências. Essas antigas sacerdotisas teceram mitos, forjaram cerimônias sagradas, lapidaram a ciência.

Assim, as religiões apresentam cosmovisões que situam o ser humano no Universo e dão um sentido à sua existência. É um conhecimento edificado ao longo de milênios, baseado em revelações divinas e na intuição de homens e mulheres santos, que tem orientado a existência das pessoas, trazido consolo, esperança e compreensão ao longo dos últimos cinco mil anos. As religiões apresentam respostas para as questões mais íntimas do viver humano, estabelecem ética, celebram e fortalecem a fé.

Com o advento da civilização surgiram as teocracias – a mais antiga organização política, na qual o rei é uma encarnação de deus ou seu representante. Embora esse costume não fosse comum na Europa, no final do império romano, os imperadores já eram divinizados. Com a queda do Império Romano, em 476 d.C., a fênix que se ergueu dessas cinzas, a única instituição que restou do Império – e que preservou sua cultura, legislação, língua e religião –, foi a Igreja de Roma. E como único fator civilizatório entre as hordas de bárbaros que varriam a Europa, a Igreja veio a sedimentar uma cultura profundamente religiosa.

Também no Oriente as religiões tiveram grande importância nas construções das civilizações que lá surgiram. O hinduísmo e o budismo influenciaram demasiadamente a cultura asiática, da Índia à China, da Mongólia ao Japão. A filosofia e a arte orientais têm suas raízes nos conceitos religiosos que borbulhavam, principalmente, das fontes indianas e chinesas. O mesmo se pode dizer do islamismo e de sua influência no Oriente Médio, no Norte da África e em certas regiões do Oriente e da Europa.

Apresentação

Assim, a religião acabou assumindo um papel fundamental, tanto na civilização ocidental como nas orientais. Somos, portanto, histórica, emocional, psicológica e espiritualmente moldados pela religião dominante na região geográfica onde nascemos – mesmo os ateus e agnósticos vivem numa sociedade construída sobre fundações religiosas ao longo da História. O poder das religiões ainda hoje, no período pós-moderno, continua consideravelmente forte e determinante.

Milhares de tradições religiosas, inúmeras seitas e crenças têm surgido em diferentes lugares e em diversas épocas. Contudo, as chamadas Religiões do Mundo, aquelas cujas influências política e cultural foram determinantes em diferentes regiões do globo, são apenas cinco: o cristianismo, o islamismo, o judaísmo, o budismo e o hinduísmo. Difundidas em terras distantes daquelas onde se originaram, mesclaram-se às religiões e crenças locais e ganharam novas cores e significados, preservando, porém, o cerne de seus ensinamentos. Tais religiões foram e, em muitos casos, ainda são tão determinantes que qualquer olhar que se lance em busca de se compreender as sociedades que elas ajudaram a formar requer conhecer seus preceitos e princípios básicos.

Desse modo, conhecer as Religiões do Mundo é um aprofundamento necessário, um mergulho em um saber capaz de iluminar diversos aspectos da nossa humanidade, da nossa cultura, do Cosmos, das relações entre os homens e dessa característica tão nossa e tão incompreensível que é a fé.

Claudio Blanc
Abril de 2021

Religião

Re-ligare

O sentido da palavra "religião", do latim *re-ligare*, é religar a essência divina do homem ao seu ego, isto é, possibilitar o encontro entre o ego e a centelha divina que há em todos nós – o Ser Supremo que os esquimós inuítes chamam de "Grande Homem", os evangélicos chamam de "Cristo", os hindus de "Atman" –; entre a alma e o "Eu". Esse conceito é o cerne de todas as religiões e é, modernamente, conhecido como "Filosofia Perene".

Filosofia Perene

O termo "Filosofia Perene" foi usado pela primeira vez por um escritor cristão alemão do século 16 e explorado subsequentemente pelo filósofo Leibniz (1646 – 1716) e pelo romancista e dramaturgo inglês Aldous Huxley (1894 – 1963). No livro de Huxley, intitulado, é claro, *A Filosofia Perene*, o autor diz que os rudimentos da filosofia perene estão "no saber

As palmas das mãos unidas são um gesto sagrado comum ao cristianismo, ao hinduísmo e ao budismo

tradicional de povos primitivos em todas as regiões do mundo, e, em suas formas mais elevadas e desenvolvidas, em cada uma das religiões mais elevadas". Daí o nome "filosofia perene": é uma percepção comum a toda humanidade que surge em épocas e lugares diferentes, mas sempre com a mesma essência. "Uma versão desse máximo denominador comum de todas as teologias precedentes e subsequentes", prossegue Huxley, "foi posta por escrito pela primeira vez há mais de vinte e cinco séculos, e, desde essa época, o tema inexaurível tem sido tratado inúmeras vezes, do ponto de vista de cada tradição religiosa e em todos os principais idiomas da Ásia e da Europa".

Em termos de doutrina, a Filosofia Perene é a "metafísica que reconhece a realidade divina substancial no mundo das coisas, das vidas e das mentes; é a psicologia que encontra na alma algo semelhante à realidade divina, ou idêntica a ela; é a ética que coloca o termo final do homem no conhecimento do fundamento imanente e transcendente de todo ser".

Características das Religiões

Huston Smith, autor do best-seller *O Mundo das Religiões*, aponta os seis aspectos que caracterizam todas as religiões. "Esses aspectos aparecem com tanta regularidade que sugerem que suas sementes fazem parte da constituição humana", afirma Smith. São eles:

Religião

Autoridade: todas as religiões possuem esse aspecto, representado por instituições, corpos administrativos, pessoas imbuídas de cargos elevados em uma determinada hierarquia.

Ritual: é o berço da religião, a celebração da integração entre o humano e o divino. O mitólogo Joseph Campbell (1904 – 1987) sustentava que "o ritual é a encenação do mito". Os mitos, os quais representam um papel fundamental nas religiões, trazem em seu conteúdo chaves de acesso à compreensão do universo místico.

Especulação: as religiões buscam responder questões como "de onde viemos", "quem somos", "o que estamos fazendo aqui", "para onde vamos depois da morte"...

Tradição: também é função das religiões transmitir sabedoria de geração a geração. Esse aspecto levou alguns autores a se referirem a elas como "tradições de sabedoria".

A religião é inerente ao ser humano

Hindu realizando um rito no rio Ganges, na Índia

Graça: é a crença de que a realidade está ao nosso lado. O Universo é amigável e confirma nossa evolução.

Mistério: as religiões celebram e encerram em si o mistério que está fora do nosso alcance. Nossa mente é finita. Não pode, portanto, mensurar o infinito ao qual está ligada. As religiões são uma ponte a esse mistério.

Três Vias

A busca espiritual humana segue, basicamente, três caminhos. O primeiro é aquele ensinado por mestres rigorosamente práticos: seguir as leis designadas por Deus (ou deuses) aos homens. O propósito primordial dessa via é extinguir do coração dos seres humanos emoções e desejos que os tornam mais parecidos com as feras. São impulsos às vezes incontroláveis como a raiva, a cobiça, o ressentimento. A prática dos preceitos budistas e a moral são os meios desse caminho.

A outra estrada, trilhada pelos filósofos e teólogos, leva à consideração das verdades metafísicas. Aqui, as especulações e interpretações dos mistérios que nos cercam são submetidos à luz da razão, o que, muitas vezes, mais deturpa o sentido dessas verdades do que as explica. Ou, pior ainda, em diversos casos, a instituição religiosa que cria essas interpretações as usa como um instrumento para dominar e submeter seus seguidores.

A terceira via busca a união dos dois caminhos anteriores, juntando num mesmo plano a mente e a matéria, a ação e o pensamento. Essa é a estrada do místico, daquele que reconhece a realidade divina no mundo material e cotidiano, que torna sagrado cada ato que realiza, por mais banal que seja. É aquele, enfim, que "religa" seu ego à centelha divina dentro de si – seu "Eu" imortal – satisfazendo finalmente a aspiração da religião.

Todas as grandes religiões incorporam esses três caminhos em suas doutrinas e práticas.

Símbolos

Como as religiões abordam o mistério – incompreensível para nossa mente finita –, elas lançam mão da linguagem dos símbolos. Estes

As velas são um símbolo da luz que emana do sagrado

A água simboliza a purificação almejada pelas religiões

inspiram e ensinam; são a matéria-prima da arte, constituindo uma "gramática" atemporal que permite acessar verdades espirituais.

Em *The Cambridge Companion to Jung*, os psicólogos britânicos Polly Young-Eisendrath e Terence Dawson definem símbolo da seguinte maneira: "a melhor expressão possível para algo que é inferido, mas não diretamente conhecido, ou que não pode ser definido adequadamente por meio de palavras".

Um símbolo não deve ser confundido com um sinal. A diferença entre símbolo e sinal é curiosa e tem a ver não com a representação em si, mas com o receptor da informação. Por exemplo, para um cristão que passa em frente a uma igreja, a cruz no alto do seu campanário é um símbolo que expressa o inefável mistério do sacrifício de Cristo. No entanto, se quem passar em frente à igreja for um budista ou um muçulmano, a cruz será apenas um sinal, indicando que ali é um lugar de encontro entre pessoas da fé cristã.

Mitos

Toda religião incorpora em seus preceitos uma coleção de mitos, os quais se destinam a fins específicos. Isso é tão claro que levou o presidente da Joseph Campbell Foundation, Robert Walter, a afirmar, em tom de brincadeira, que "mito é a religião do outro". Talvez soe estranho para nós ocidentais ouvir falar em "mitologia cristã", mas o fato é que todas as tradições de sabedoria lançam mão dos mitos.

Joseph Campbell, que, junto com Mircea Eliade foi, provavelmente, o maior mitólogo do século 20, observou que os mitos são metáforas da vida e do Universo que cumprem basicamente quatro funções. A primeira delas é a função mística, que engloba a percepção e a evocação do mistério que nos cerca. "O mito abre o mundo para a dimensão do mistério", afirmou Campbell.

A segunda função do mito lida com a dimensão cosmológica, um papel hoje restrito à ciência. Os mitos, como a ciência, também buscam explicar a origem e a natureza das coisas.

A terceira função é a sociológica. O mito suporta e valida uma determinada ordem social. E é aqui que os mitos variam tremendamente de lugar para lugar. "Você tem toda uma mitologia relacionada à poligamia e toda uma mitologia relacionada à monogamia", disse Campbell. "Qualquer uma está certa; só depende do lugar onde você está!"

Menelau, lendário rei de Esparta

É essa função sociológica do mito que estabelece leis éticas – como as firmadas pelos profetas hebraicos do Velho Testamento –, leis que determinam questões como o que vestir, como se comportar, comer, o relacionamento entre os sexos, entre outras.

A quarta função do mito é a pedagógica. Os mitos encerram importantes lições, as quais mostram como viver a vida de forma sábia e profícua.

Fundamentalismo

A escritora Karen Armstrong define "fundamentalismos" como "formas de espiritualidade combativas que surgiram como reação a alguma crise". Os fundamentalistas enfrentam inimigos cujas políticas e crenças seculares parecem contrárias à religião. De acordo com Armstrong, eles não veem essa batalha como uma disputa política convencional, "e sim como uma guerra cósmica entre as forças do bem e do mal". Uma característica intrínseca dos fundamentalistas é temer a aniquilação. Por isso, eles procuram fortificar sua identidade ameaçada através do resgate de certas doutrinas e práticas do passado. Para evitar a "contaminação", geralmente se afastam da sociedade e criam uma contracultura. Armstrong adverte, porém, que os fundamentalistas não são sonhadores utópicos. "Absorvem o racionalismo pragmático da modernidade e, sob a orientação de seus líderes carismáticos, refinam o 'fundamental' a fim de elaborar uma ideologia que fornece aos fiéis um plano de ação", afirma a autora. Numa tentativa de nadar contra a corrente, os fundamentalistas lutam para ressacralizar um mundo cada vez mais cético.

Política versus Religião

O envolvimento da política na religião fica bastante claro se lembrarmos episódios históricos recentes como os conflitos, na Irlanda do Norte, entre os nativos católicos irlandeses e os protestantes descendentes dos invasores ingleses; em Israel, entre os judeus e palestinos; na Índia, entre os paquistaneses muçulmanos e os hindus indianos, ou ainda entre os iraquianos islâmicos e os cristãos americanos. Embora essas instâncias apontem para um desentendimento religioso, parece haver mais do que simplesmente discórdia doutrinária dividindo os oponentes. O escritor Michael T. Klare, professor do Hampshire College, Amherst, EUA, afirma em seu livro *Sangue e Petróleo* que, embora se diga que a maioria das guerras que assolam o mundo neste início de século sejam de caráter religioso – e de fato são –, o motivo real é a disputa por recursos naturais, exatamente como está acontecendo com a "cruzada" americana contra o "terrorismo" islâmico, a qual, afirma Klare, também envolve o interesse dos Estados Unidos em assumir o controle das maiores reservas mundiais de petróleo. A religião seria, então, um fator de identificação étnica e cultural a unir os beligerantes de um ou de outro lado. Nesse caso, a função espiritual da religião é posta de lado e deixa de ser um caminho de acesso à espiritualidade latente em todos os homens e mulheres para se tornar um campo de atuação política.

Identidade Religiosa

Segundo o relatório emitido pela Agência Central de Inteli-

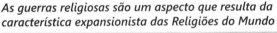

As guerras religiosas são um aspecto que resulta da característica expansionista das Religiões do Mundo

Mais que fé, as religiões trazem identidade entre seus membros, independentemente da nacionalidade

gência, a americana CIA, e publicado no livro *O Relatório da CIA: como será o mundo em 2020?*, do autor Alexandre Adler, "nos próximos 14 anos, a identidade religiosa deve se tornar um fator cada vez mais importante na maneira como as pessoas se definem". Segundo a CIA, essa tendência de identidade política tem a ver com a maior mobilidade e a crescente diversidade de grupos hostis dentro de um mesmo país, bem como com a difusão de modernas tecnologias da comunicação. A primazia de identidades étnicas e religiosas garantirá aos seus membros uma comunidade pronta que funciona como uma "rede de segurança social" em épocas de necessidade — particularmente importante para os migrantes. Essas comunidades também garantem redes de trabalho que geram oportunidades de emprego.

Outra característica da religiosidade contemporânea que aponta para o crescimento do fundamentalismo, observada no relatório da CIA, é o fato de que muitos fiéis — nacionalistas hindus, evangélicos cristãos na América Latina, judeus fundamentalistas em Israel ou radicais muçulmanos — estão se tornando "ativistas". Esses grupos têm, invariavelmente, uma visão de mundo que defende mudanças na sociedade, além de tenderem a fazer distinções maniqueístas e possuir crenças religiosas capazes de transformar conflitos locais em grandes cruzadas.

Ativismo Religioso

Movimentos baseados na religião são comuns em tempos de distúrbios sociais e políticos — e frequentemente são um impulso para a mudança positiva. Um exemplo é a constatação dos estudiosos de que o crescimento das seitas evangélicas na América Latina forneceu aos grupos mais pobres e racialmente excluídos, inclusive às mulheres, uma rede de relações de trabalho que não haveria de outra forma. Essas redes de relacionamento proveem seus membros com conhecimentos necessários para sobreviver numa sociedade que muda rapidamente e promovem o desenvolvimento da sociedade civil na região.

Ao mesmo tempo, o desejo de grupos ativistas de mudar a sociedade quase sempre leva a mais conflitos sociais e políticos, às vezes violentos. Em particular, tende a haver atrito em comunidades mistas quando os ativistas buscam converter membros de outros grupos religiosos ou de instituições religiosas tradicionais. Para sustentar suas fortes convicções religiosas, muitos ativistas desses movimentos definem suas identidades como opostas às dos "estranhos", o que quase sempre gera tensão.

Islamismo Radical

"Parte do apelo do Islamismo radical envolve a conclamação dos muçulmanos para retornar às suas raízes primordiais, quando o Islã estava à frente das mudanças globais", afirma o relatório da CIA sobre as tendências religiosas que dominam o mundo na década de 2010. A tendência é que o sentimento coletivo de alienação e estagnação que alimenta o Islamismo radical não deve se dissipar até que o mundo muçulmano esteja, novamente, integrado à economia mundial.

É muito provável que, nos próximos vinte anos, as diferença religiosas e étnicas contribuam para fomentar futuros conflitos e, se não forem

Radical islâmico: o fundamentalismo é um aspecto negativo das Religiões do Mundo

abordadas, serão a causa de problemas regionais. As regiões onde há perigo de os atritos resultarem em conflito civil generalizado são: sudeste da Ásia, África Ocidental, Filipinas e Indonésia. Isso pode ser visto hoje nas ações do grupo radical Estado Islâmico do Iraque e do Levante.

Zelo Religioso

O fundamentalismo se caracteriza por tremendo zelo religioso. "O impulso da maioria dos movimentos fundamentalistas, sejam católicos, mórmons, cristãos evangélicos, muçulmanos ou judaicos, é um forte desejo de regressar à ordem mística e à perfeição original", escreveu Jon Krakauer em seu brilhante livro *Pela Bandeira do Paraíso: uma História de Fé e Violência*. Os fundamentalistas seguem, portanto, sua doutrina a partir de uma interpretação rigorosamente literal dos textos mais antigos e sagrados da sua Igreja. A autoridade desses escritos divinamente inspirados é absoluta e imutável. E o dever dos homens e mulheres virtuosos, acreditam os fundamentalistas, é levar suas vidas segundo uma leitura rigidamente literal dessa literatura.

Há, porém, uma implicação que deriva diretamente dessa postura. De acordo com o que Vincent Crapanzano coloca seu livro *Serving the World - Literalism in America from the Pulpit to the Bench*, o literalismo dos fundamentalistas "estimula uma visão fechada do mundo, em geral (embora não necessariamente) conservadora em termos políticos, na qual a história fica parada no tempo e as pessoas são vistas por um prisma 'nós e eles', em que "nós" possuímos a verdade, a virtude e a bondade, e "eles", a falsidade, a depravação e o mal". O fundamentalismo exclui, dessa forma, a percepção preconizada no cristianismo de que a humanidade é uma fraternidade e que se deve "amar ao próximo como a si mesmo." Por dividir as comunidades naquelas imbuídas de bem ou de mal, essa atitude solapa com a busca budista pela compaixão. O fundamentalismo sufoca, assim, a religiosidade em detrimento de uma religião irada.

Fanatismo

O notável escritor americano William James (1842 – 1910) explica, em seu livro *As Variedades da Experiência Religiosa: um Estudo na Natureza Humana*, o processo que transforma uma experiência genuína de religiosidade no fanatismo prejudicial que infelizmente permeia as alas ortodoxas das grandes tradições de sabedoria. Tudo começa com o que James chama de "uma experiência religiosa direta", isto é, quando o indivíduo atinge um estado de consciência que pode ser entendido como "místico". Nesse momento, o que foi vivido por esse "profeta" é visto como uma heterodoxia, e ele "parecerá um louco solitário", insultado, apedrejado ou crucificado. No entanto, explica James, "se sua doutrina se mostra suficientemente contagiante para se espalhar a outras pessoas, torna-se uma heresia definitiva, mas se continuar a se mostrar suficientemente contagiante, transforma-se em ortodoxia." E é aqui que reside, segundo

Judeu ortodoxo: fundamentalismo judengo

este pensador, o problema do fundamentalismo. "Quando uma religião se transforma em ortodoxia, termina seu intimismo: a fonte seca, os fiéis vivem experiências exclusivamente indiretas e, por sua vez, apedrejam profetas." Em outras palavras, a religiosidade – o potencial humano de atingir níveis mais elevados de consciência – termina quando os fiéis param de buscar seu próprio desenvolvimento espiritual e seguem às cegas o que pregam seus sacerdotes. A consequência é terrível: "a nova Igreja, qualquer que seja a bondade humana que promova, passa a ser considerada firme aliada de todas as tentativas de abafar o espírito espontâneo e de deter todos os murmúrios posteriores da fonte que, nos dias de mais pureza, era seu único manancial de inspiração", conclui James. Ironicamente, na medida em que vivem experiências espirituais exclusivamente indiretas, a religião mata a religiosidade dos seus seguidores. O fundamentalismo, longe de servir o desenvolvimento espiritual da humanidade, leva o homem para cada vez mais longe de Deus.

Fundamentalismo Americano

Segundo a visão fundamentalista, há uma linha nítida que passa por toda a criação, separando o bem do mal, e todos estão de um lado ou de outro dessa linha. Essa noção foi exacerbada e se tornou dominante depois dos atentados ao World Trade Center de Nova York, em 11 de setembro de 2001. Subitamente, segundo os dirigentes americanos, o mundo estava dividido e ameaçado por um "eixo do mal". O fundamentalismo se instilava dramaticamente nas relações internacionais americanas.

O fundamentalismo cristão americano envolve, como o judaico, um nacionalismo radical

Religião

Templo mórmon em Salt Lake City, centro mundial dessa religião

O ex-presidente dos EUA Jimmy Carter é uma das vozes que expressa preocupação com o envolvimento do pensamento religioso ortodoxo na política. Em seu vigésimo livro desde que deixou a Casa Branca, em 1981, Jimmy Carter critica o fundamentalismo religioso americano. Carter, que se considera um "cristão conservador", que acredita na Bíblia e na criação do Universo por Deus, "lamenta os componentes fundamentalistas no cristianismo americano". Lamenta também que os cristãos conservadores tenham assumido publicamente a devoção ao partido Republicano, algo sem precedentes na história dos EUA. Em sua obra, o ex-presidente responsabiliza a relutância do seu próprio Partido Democrata em abraçar valores religiosos. Carter se refere ao fato de o candidato democrata nas eleições presidenciais de 2004, John Kerry, sempre parecer constrangido para assumir sua fé católica – religião que se contrapõe ao ideal protestante anglo-saxão que impera no país.

Mórmons

A Igreja de Jesus Cristo dos Santos dos Últimos Dias, também conhecida como Igreja Mórmon, é baseada numa doutrina patentemente fundamentalista, divulgada no século 19 pelo fundador da seita, o profeta Joseph Smith. A Igreja está crescendo num ritmo vertiginoso.

Atualmente, cerca de sessenta mil missionários mórmons estão percorrendo o mundo, convertendo novos membros. O sociólogo Rodney Stark previu que, em 2080, haverá trezentos milhões de mórmons no planeta. O mormonismo é, realmente, a religião que mais cresce no hemisfério ocidental. Nos Estados Unidos, existem atualmente mais mórmons do que presbiterianos ou episcopalistas. No planeta, os mórmons são hoje mais numerosos do que os judeus. De acordo com o prestigioso crítico e professor da Universidade de Yale, Harold Bloom, se a expansão da Igreja dos Santos dos Últimos Dias continuar nesse ritmo, em meados deste século, governar os Estados Unidos será "impossível sem a cooperação dos mórmons".

Visão Polêmica

Embora a igreja mórmon tradicional busque se afastar dos aspectos mais polêmicos da teologia de Joseph Smith, como a poligamia e o racismo, o número de fundamentalistas mórmons cresce vertiginosamente. O cisma provocado pelas concessões da Igreja dos Santos dos Últimos Dias no sentido de adaptar a teologia de Smith aos padrões éticos americanos criou o incrível número de duzentas outras seitas derivadas dos preceitos originais do fundador do mormonismo, todas elas radicalmente

Joseph Smith recebe a visita do anjo Moroni

Religião

Mórmon com a mãe e suas cinco esposas de diferentes idades

fundamentalistas. Embora os mórmons tradicionais neguem sua existência, esses fundamentalistas mórmons buscam enfaticamente retornar aos mandamentos originais do profeta Smith. Para eles, Joseph Smith afirmou que seus seguidores, isto é, os Santos dos Últimos Dias, eram os "eleitos de Deus", os verdadeiros "filhos e filhas de Israel" e seriam chamados a desempenhar um papel importante nos Últimos Dias, quando chegasse o tão esperado Apocalipse. Essa simples afirmação, declarando que uma comunidade (a sua) é superior às demais, caracteriza um entrincheiramento que leva à violência que pontuou as primeiras décadas do mormonismo.

Poligamia

Uma das principais dissidências fundamentalistas mórmons, a Igreja Fundamentalista de Jesus Cristo dos Santos dos Últimos Dias, continua a estimular a poligamia e a instilar crenças segregacionistas nos seus adeptos. Os membros dessa Igreja vivem, principalmente, numa cidade própria, Colorado City, afastados dos "gentios", na fronteira entre os estados americanos de Utah e Arizona. DeLoy Bateman, antigo membro dessa seita, nascido e criado em Colorado City, narra instâncias desses fundamentalistas que deixam muito para trás a essência da teologia cristã, isto é, "amai-vos uns a outros como a si mesmos". A poligamia pregada por Joseph Smith é um mal imposto sobre as mulheres. Bateman, que diz ter "chegado num ponto em que já não podia fingir que a religião é uma mentira", sustenta que diversas mulheres de Colorado City denunciaram terem sido vítimas de abuso sexual quando meninas. A pedofilia grassa na comunidade. "Sei de membros do sacerdócio que dormiram com as próprias filhas", afirma Bateman.

Racismo

Um ensinamento original de Joseph Smith preservado pela Igreja Fundamentalista de Jesus Cristo dos Santos dos Últimos Dias é o de que os africanos e os afrodescendentes sequer são humanos. Mas se a poligamia foi abolida entre os mórmons tradicionais – ao menos em tese e com o intuito exclusivo de se conformar às leis dos Estados Unidos –, o mesmo não pode ser dito com relação ao racismo. Tanto os mórmons tradicionais como os fundamentalistas têm horror à miscigenação. Mesmo depois que o presidente da Igreja de Jesus Cristo dos Santos dos Últimos Dias, Spencer W. Kimball, ter, em 1978, uma revelação divina que levou à revogação da doutrina da Igreja que impedia os negros de exercerem o sacerdócio, a política oficial do mormonismo continua sendo a de aconselhar seus membros a não se casarem com pessoas de raça negra.

Cristianismo

Jesus e Sua Mensagem

Poucas figuras históricas tiveram um impacto tão significativo no curso da humanidade como Jesus Cristo. Um dos maiores filósofos de todos os tempos, Jesus lançou as bases para uma religião que não só transmitiu a herança greco-romana às gerações seguintes, mas também preservou muito da antiga civilização pagã. Ao mesmo tempo, Jesus propagou uma mensagem diferente, uma doutrina de paz e amor que finalmente irmanava os homens e prometia a justiça e a esperança de um reino baseado no princípio divino. Como nenhum outro antes dele, ensinou a revolucionária verdade que todos os homens e mulheres são iguais perante Deus. Falou de amor de uma forma mais profunda e abrangente que os filósofos gregos – os únicos a discutir o tema até então. Não hesitou em sacrificar a vida em defesa dos ideais que semeava.

Silhueta de Jesus, o fundador do cristianismo

Quem era Jesus?

Jesus era judeu, mas nós o conhecemos por um nome grego – Jesus Cristo. Seu nome era, provavelmente, Ieshua, ou Joshua, ben Joseph, "Joshua filho de José". Jesus era um rabino e pregava nas sinagogas.

Alguns dos seus seguidores diziam que ele era um homem comum, dotado de um tremendo poder espiritual; outros afirmavam – e ainda afirmam – que Jesus era, na verdade, Deus encarnado em homem.

Jesus foi visto por uns como o Messias que confirmava a Lei Mosaica, renovando o compromisso do povo judeu de cumprir os antigos mandamentos; outros o tinham como o Filho de Deus que prometia o perdão e a salvação para judeus e não judeus além da lei dos homens, independentemente dos sacrifícios no Templo de Jerusalém e de serem circuncisados. Todos, porém, reconheciam que Jesus tinha aberto um novo caminho para a salvação – a chegada do "Reino dos Céus". Esse caminho rompia com as convenções religiosas judaicas, o que indispôs Jesus com o Sinédrio – o tribunal do Templo de Jerusalém, formado por sacerdotes, anciãos e escribas. Por conta disso, Jesus foi crucificado.

Jesus era Casado?

Como judeu, Jesus, ou Joshua, deveria se submeter às leis judaicas – à Tora. Uma das suas obrigações era a de se casar. Um judeu é estimulado a se casar desde a infância e, depois de casado, deve buscar ter filhos: "crescei e multiplicai-vos" diz o mandamento. Quem não fazia isso, incorria em pecado. Um judeu que não fosse casado sequer podia falar na sinagoga. Embora Marcos cite em seu evangelho uma afirmação de Jesus na qual ele explica que há aqueles que se fazem "eunucos para conquistar o Reino dos Céus", os evangelhos também atestam que Jesus pregava nas sinagogas e era respeitado por isso. Talvez esta seja a evidência mais veemente de que Jesus devia ter sido casado.

Maria Madalena

Na tradição católica, Maria Madalena é a prostituta arrependida, a pecadora que finalmente percebeu as consequências dos seus atos e se converteu, passando a se dedicar à própria redenção. Ela representa a possibilidade de todo pecador de se arrepender e se redimir, confiando no eterno perdão de Deus. No entanto, em nenhum lugar do Novo Testamento está escrito que ela era uma prostituta. O Evangelho de Marcos fala que ela era uma pecadora, mas só isso.

Maria Madalena, ou Míriam de Magdala, é, na verdade, o arquétipo (imagens universais que aparecem tanto nos sonhos e fantasias das pessoas como nos mitos e religiões) feminino em todas as suas

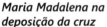
Maria Madalena na deposição da cruz

dimensões, das mais carnais às mais espirituais: é a mulher eterna, a Sofia – a profunda sabedoria que permeia todo o Universo, outro aspecto do feminino. Essas ideias estão contidas no único texto atribuído a Maria Madalena, O Evangelho de Maria Madalena. O apócrifo foi descoberto em Nag Hammadi, Egito, em 1945, e é aceito como original pelos pesquisadores.

Depois da morte de Jesus, Maria Madalena foi para a Gália, hoje França, levar o Evangelho àquele povo. Ela foi acompanhada de José de Arimateia, que trazia o Santo Graal.

O Vaso Sagrado
Segundo a tradição cristã, o graal é o vaso que José de Arimateia usou para recolher o sangue do Cristo, quando o centurião Longino o feriu mortalmente com uma lança. Seu nome se origina do fato de ser o recipiente que armazenou o Sangue Real, ou, em francês, *Sang Royal*, termo que se corrompeu em *Saint Graal*. Depois, José de Arimateia acompanhou Maria Madalena para a Gália, onde a santa levou o Evangelho, e José prosseguiu até a Inglaterra, levando consigo o graal.

O cálice – lapidado da grande esmeralda que caíra da coroa de Lúcifer quando ele sofreu a Queda por ter traído Deus – acabou se perdendo na Inglaterra.

Cálice da Eucaristia

A coroa de espinhos é um dos símbolos da paixão de Cristo

Outras lendas falam que o graal continha o Santo Sangue e o de Maria Madalena. Foi nessas lendas que alguns autores modernos se basearam para afirmar que Maria Madalena era o graal com o sangue de Jesus, isto é, seu ventre fecundo do Sangue Real, ou Santo Graal, de Cristo.

O Cristianismo Primitivo

Depois da crucificação de Jesus, muitas interpretações diferentes dos seus ensinamentos modificaram diversos aspectos da doutrina original. Com o tempo, o cristianismo se dividiu em várias correntes, tanto no Oriente como no Ocidente, cada qual com uma interpretação própria dos ensinamentos de Jesus. Enquanto alguns dos seus seguidores originais buscavam manter o cristianismo como uma seita restrita aos judeus, outros desejavam que os preceitos propostos por Jesus fossem adotados pelo maior número possível de pessoas – judias e não judias.

Religião Subversiva

Um dos seus intérpretes mais radicais, Estevão, contemporâneo de Jesus, afirmou que a nova seita tornara obsoleto o Templo de Jerusalém e todos os seus sacrifícios. O grave desafio à Lei Mosaica resultou no suplício de Estevão e dos seus seguidores, confirmando o estigma do cristianismo como uma religião subversiva.

Tiago

Depois da crucificação, Tiago, que de acordo com alguns estudiosos era irmão de Jesus, tomou a liderança da nova seita judaica. No seu livro *Tiago, Irmão de Jesus*, Pierre-Antoine Bernheim apresenta Tiago como irmão consanguíneo de Jesus. E vai além: sustenta que, depois do martírio de Jesus, Tiago foi mais influente que Pedro na Igreja primitiva, justamente por causa do seu parentesco com o Mestre.

Referências a Tiago contidas nos Atos dos Apóstolos e na Carta de São Paulo aos Gálatas confirmam que ele era, junto com Pedro, a principal figura da Igreja. São Paulo chega a citar seu nome em primeiro lugar, dizendo: "Tiago, Pedro e João, considerados colunas da Igreja". De fato, Tiago comandou a Igreja de Jerusalém como presidente do seu conselho de anciãos – uma espécie de sinédrio cristão.

Tiago seria, também, autor do Protoevangelho de Tiago – o texto mais antigo a falar da infância de Jesus. Muitos estudiosos acreditam

São Tiago adormecido sob a cruz, no vitral de uma igreja inglesa

Jesus dá a chave do céu a São Pedro
(mosaico na Basílica de São Pedro)

que estes textos são anteriores aos Evangelhos Canônicos. Seu próprio nome denuncia isso. A palavra "proto" vem do grego *protos* e significa "primeiro", "início". Assim, esse seria o "Primeiro Evangelho". Na verdade, segundo alguns autores, todos os outros evangelhos se baseiam, em grande parte, nesse texto, no qual Tiago conta sobre a infância de Jesus. O Protoevangelho, conhecido desde os primeiros tempos do cristianismo, mereceu a consideração dos patriarcas da Igreja cristã: Orígenes, Clemente e Pedro de Alexandria, São Justino e São Epifânio recomendavam esses escritos.

A Primeira Cisão

Pedro e outros apóstolos defendiam a difusão da mensagem cristã para uma comunidade unificada de judeus e gentios; Tiago, não. Temia que isso pudesse provocar um movimento de renovação dentro do judaísmo ou criar uma religião afastada de suas raízes. Observador das normas judaicas, Tiago defendia que esses preceitos deveriam fazer parte do cristianismo.

A cisão entre os seguidores de Jesus se agravou, principalmente, devido à intervenção de um influente cristão que havia se convertido depois da morte de Jesus: Paulo de Tarso. Sua versão dos ensinamentos de Cristo, a sistematização da nova religião estabelecida nas suas epístolas – as cartas dos apóstolos instruindo as primitivas Igrejas cristãs – acabou se tornando a forma mais amplamente aceita de cristianismo.

Paulo de Tarso

Paulo, ou Saulo, era um judeu nascido em Tarso, uma cidade grega perto da costa sul da atual Turquia. Seu pai era rico e influente a ponto de garantir a cidadania romana para si e sua família. Saulo fora educado na filosofia dos mundos grego e romano e nas tradições das Escrituras hebraicas. Era, assim, um homem de duas culturas. Ele sequer havia conhecido Jesus e tinha se empenhado em perseguir os cristãos. No entanto, certa vez, teve uma visão de Cristo. Na estrada de Damasco, Saulo experimentou a iluminação e a transformação do cristianismo – palavras-chave na história dos primeiros cristãos. A partir de então, abraçou a nova fé e se dedicou a sistematizar e divulgar sua interpretação do cristianismo.

*Cena da conversão de São Paulo
(relevo em igreja, Antuérpia)*

Para Paulo, a "boa nova" proclamada por Jesus se destinava não só a Israel, mas também aos gentios, isto é, aos não judeus. No entanto, a abrangência da missão apostólica de Paulo – ele pregou em praticamente todo o Mediterrâneo – e o fato de ter sido um cidadão de Roma foram um ponto crucial para o sucesso da sua versão do cristianismo.

Os Evangelhos

As obras que compõem o Novo Testamento têm sido motivo de discussão desde, praticamente, a sua criação. Por volta de 140 d.C., Marcião, filho de um bispo do Norte da Ásia Menor (algumas correntes cristãs sempre permitiram o casamento de sacerdotes) e fundador de uma facção cristã, os marcionitas, tentou reformar a Igreja. Ele rejeitou o Antigo Testamento e elaborou uma lista dos textos das Escrituras que deveriam, segundo seus critérios, ser aceitos. Marcião citava apenas um dos Evangelhos, o de Lucas, e incluía dez das cartas de Paulo. As propostas de Marcião deram início a uma controvérsia feroz que só foi resolvida no Concílio de Niceia, em 325, quando o imperador Constantino, depois de ter adotado o cristianismo como religião oficial do Império, interveio decisivamente no debate.

No final do século 2, os Evangelhos de Mateus, Marcos, Lucas e João foram proclamados canônicos pelo bispo de Lyon, Irineu – um proeminente teólogo dessa época. O Novo Testamento começava, finalmente, a tomar forma. Por volta do ano 300, os quatro evangelhos, um relato conhecido como Atos dos Apóstolos, escrito por Lucas, e a maioria das cartas de Paulo eram aceitos como textos oficiais.

Havia, contudo, outras obras que foram rejeitadas. Esses livros, muitos deles escritos a partir da tradição oral transmitida pelos apóstolos originais, eram extremamente importantes na preservação da pureza da essência cristã, mas sumiram no tempo. Mesmo assim, não quiseram calar. Depois de quase dois milênios de esquecimento, ressurgiram casualmente, revelando um aspecto dos ensinamentos de Cristo há muito esquecido – talvez até mesmo mais próximo da doutrina cristã original.

Os Apócrifos

No Egito do século 4, por ordem do Bispo Atanásio de Alexandria, foram destruídos inúmeros documentos considerados heréticos. O bispo seguia uma resolução do Concílio de Niceia, que estabelecia a destruição dos textos gnósticos. Contudo, alguns monges egípcios buscaram preservar seus códices e os esconderam em urnas de argila, que enterraram perto de onde, hoje, é a cidade de Nag Hammadi, no Egito.

Em dezembro de 1945, naquele local, um camponês árabe fez uma espantosa descoberta arqueológica. Enquanto Muhammed Ali al-Salmman trabalhava a terra, descobriu um pote de cerâmica vermelha de quase um metro de altura. Dentro do vasilhame havia treze livros de papiro encadernados em couro. Sem suspeitar a importância da descoberta, o camponês deixou o achado sob os cuidados de um sacerdote local. Depois, um professor de história viu os papiros e, suspeitando que fossem valiosos, enviou um deles para ser avaliado no Cairo. Confirmada a antiguidade dos manuscritos, eles logo começaram a ser vendidos no mercado negro, caindo nas mãos de estudiosos europeus.

Logo, descobriu-se que os manuscritos eram uma coletânea de antigos evangelhos cristãos até então desconhecidos. Além do Evangelho de Tomé, a descoberta incluía o Evangelho de Felipe, o Evangelho da Verdade, o Evangelho dos Egípcios e textos atribuídos a seguidores de Jesus, como O Livro Secreto de Tiago, o Apocalipse de Paulo e o Apocalipse de Pedro. Entre eles, também estava o Evangelho de Maria Madalena, cujo conteúdo leva a crer que Jesus e Maria Madalena tinham uma relação de amor e intimidade.

Por causa do sigilo com que atravessaram os séculos, esses livros ficaram conhecidos como apócrifos, do grego *apocryphon*, ou "secretos".

Gnosticismo

Nos primeiros séculos do cristianismo, entre as muitas correntes cristãs estavam os gnósticos. Os membros do gnosticismo consideravam-se um grupo de elite que tinha a chave da salvação. Eles preconizavam que só o conhecimento místico de Deus trazia a paz interior e a salvação.

Os manuscritos de Nag Hammadi nos falam da crença em dois reinos distintos. Um é o mundo da luz espiritual, governado por um ser único, transcendente e totalmente impossível de se descrever. O outro é o mundo material das trevas e ignorância onde vive a humanidade. A gnose, o conhecimento místico de Deus, é a ponte da salvação que leva da materialidade cega ao reino do espírito. Para os gnósticos, Jesus não era o filho de Deus feito homem. Era, antes, o grande revelador da gnose. Os gnósticos negavam, também, a Ressurreição.

Existiam cerca de 30 grupos diferentes dessa ramificação do cristianismo, durante o segundo e o terceiro séculos depois de Cristo. G.R.S. Mead (1863 – 1933), colaborador de Helena Blavatsky na Sociedade Teosófica, escreveu em seu *A Gnosis Viva do Cristianismo Primitivo* que "a verdadeira gnose é o foco central do genuíno cristianismo". Segundo Mead, o objetivo dos cristãos primitivos era obter a gnose, ou o conhecimento místico. É "a apoteose da mente, uma fusão com a mente divina, quando a mente humana se transfigura e alcança a comunhão com o Divino que está em nós".

Certos teólogos gnósticos, como Valentim, ativo em Roma entre 140 e 150 d.C., fundador da seita dos valentianos e que quase se tornou papa, tiveram grande peso nos primeiros séculos do cristianismo. No entanto, enquanto Roma perseguia cristãos de todas as facções, os bispos cristãos perseguiam os gnósticos. No final, os gnósticos perderam sua influência e desapareceram.

Depois de Jesus

Após a morte de Jesus, seus discípulos começaram a espalhar a notícia de que ele tinha ressuscitado dos mortos e ascendido aos céus, onde se sentara à direita de Deus, o lugar de onde viria a julgar os vivos e os mortos no final dos tempos. Os apóstolos passaram a se reunir em seu nome e a divulgar os ensinamentos que haviam ouvido de seu mestre.

No início, a nova seita judaica se enraizou, como se podia esperar, apenas nas comunidades judaicas. Não demorou muito, porém, e as palavras de Jesus começaram a ser pregadas também para os gentios, isto é, para comunidades não judaicas. Essa foi uma decisão tomada por um conselho de cristãos de Jerusalém, realizado em 49 d.C., do qual participaram os apóstolos Tiago, chamado irmão de Jesus e chefe da comunidade cristã local, e Pedro, além de um homem que viria a ser determinante nos rumos que a nova religião tomaria. Saulo, depois Paulo, era um judeu helenizado originário de Tarso. Sua influência na configuração do cristianismo é tão grande que, depois de Jesus, Paulo é, sem dúvida, a figura mais importante dessa religião, provavelmente o maior responsável pelo fato de ela ter se tornado a mais bem-sucedida religião mundial.

Conforme observou o historiador britânico J. M. Roberts em seu livro *The Shorter Story of the World,* Joshua de Nazaré "jamais ultrapassou o mundo intelectual da Lei e dos profetas". O principal articulador da expansão do cristianismo para além da esfera do judaísmo foi Paulo de Tarso. Ele foi o grande advogado dos muitos gentios que se interessavam pelo novo ensinamento, defendendo que eles não

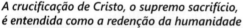

A crucificação de Cristo, o supremo sacrifício, é entendida como a redenção da humanidade

precisavam aceitar o rigor da religião judaica, como se submeter à circuncisão e à observação de restrições alimentares, para se tornarem membros da seita. Paulo, que era um homem culto, traduziu para o grego a sua visão da mensagem de Joshua. Ao fazer isso, Paulo adaptou os ensinamentos cristãos à linguagem e às ideias da filosofia grega, vestindo os ensinamentos originais de Joshua numa nova roupagem, criando um híbrido entre o judaísmo e a filosofia grega. Ele afirmou que Jesus Cristo – o nome grego com o qual ele eternizou Joshua de Nazaré – era, de fato, Deus, e não homem, e usou as ideias gregas de distinção entre alma e corpo e do vínculo de um mundo material visível e de um mundo espiritual invisível para divulgar sua mensagem. Por conta disso, conforme argumentam muitos autores, pode-se dizer que Paulo de Tarso foi o verdadeiro criador do cristianismo.

Os Doze Apóstolos

Se foi Jesus quem concebeu a promessa de um novo reino de justiça e amor, foram seus doze discípulos mais próximos quem se empenharam em anunciar essa "boa nova" pelo mundo. Não eram mais que um grupo de judeus desacreditados pelo seu próprio povo e vistos pelos gregos e romanos cultos como ralé supersticiosa, que insistiam em alardear que seu mestre era o tão esperado Messias. Apesar dessa menos valia a eles atribuída, viajaram pelo Império Romano e além, propagando a mensagem de fé, amor e humildade do seu Mestre.

Os responsáveis pela revolução trazida pelo cristianismo se mantiveram unidos na fé do seu Messias, mesmo apesar de ele ter sido executado da forma mais aviltante que o império empregava, destinada aos criminosos comuns. Depois da execução, seus seguidores ficaram tão desamparados que chegaram a se dispersar. Mas algo aconteceu. Através de uma série de encontros e visões, muitos apóstolos chegaram à convicção de que tinham visto Jesus vivo. Isso os manteve unidos.

Os onze emissários especiais, ou apóstolos, designados pelo Mestre, passaram a ser liderados por Simão Pedro. Um deles, Judas Iscariotes, suicidara-se, ou, conforme atesta a recente descoberta de um evangelho de sua autoria, retirou-se para o deserto. Mas o fato de Jesus ter escolhido doze apóstolos é significativo e cercado de simbolismo. Por isso, os onze discípulos restantes resolveram repor o número original, escolhendo ao acaso um substituto de Judas. Eles pensavam que, desse modo, a vontade de Deus se manifestaria. A sorte caiu em Matias, um dos seguidores que acompanhara Jesus durante todo seu ministério e que podia dar testemunho da sua Ressurreição – Matias se tornou, assim, o 13º apóstolo.

O grupo, porém, incluía ainda dezenas de outros discípulos que se juntavam ao círculo mais próximo de Jesus em contínua oração. A maioria dos seus nomes se perdeu na História. Outros são mencionados no Novo Testamento, como Maria, mãe de Jesus, e quatro jovens que muitos acreditam ser os irmãos de Jesus, Tiago, José, Simão e Judas. Lucas menciona em seu Evangelho as mulheres que apoiaram e acompanharam Jesus desde a Galileia até Jerusalém. Entre elas, Miriam de Magdala, ou Maria Madalena, e Joana, a aristocrática esposa de Herodes Antipas.

Pentecostes

No ano em que Jesus morreu, na manhã de Pentecostes – uma festa para celebrar a colheita do trigo comemorada cinquenta dias depois da Páscoa –, cerca de cento e vinte seguidores de Jesus de diversas partes do Oriente se reuniram com os onze apóstolos originais em Jerusalém. Enquanto oravam e lembravam o seu Mestre, de repente, um vento forte começou a rugir, como uma tempestade vinda dos Céus, e invadiu a casa onde os onze discípulos de Jesus se encontravam. Línguas de fogo surgiram e, milagrosamente, começaram a se dividir e a arder sobre cada um dos apóstolos. No mesmo instante, eles sentiram uma força dentro de si, à medida que o Espírito Santo os inundava. Então, os discípulos começaram a falar, como nunca tinham feito antes, em línguas estrangeiras que nunca tinham antes dominado.

O Espírito Santo tinha descido como uma onda sobre os apóstolos, e eles falaram à multidão presente na celebração de Pentecostes "conforme o Espírito lhes concedia se exprimir". Escutando os seguidores de Jesus, os presentes ouviram, além no aramaico e do grego comuns em Jerusalém, as línguas de todos os lugares de onde vinham os peregrinos. Tocados com a pregação dos apóstolos, três mil pessoas se renderam, ali mesmo, aos ensinamentos de Jesus e se converteram.

A partir de então, os apóstolos saíram pelo mundo antigo, pregando a palavra de Cristo e estabelecendo igrejas e sucessões apostólicas por onde passavam.

Santos

Os santos são precursores da ética cristã, homens e mulheres que, pelo exemplo de vida que levaram, merecem ser reverenciados. Representam inspiração para os fiéis, prova da força da fé. A Igreja vê os santos como servos e amigos de Deus, cujo exemplo de vida os fez merecedores de um amor divino especial.

De acordo com a tradição católica e ortodoxa, os santos e as santas também têm o poder de interceder pelos seus irmãos, homens e mulheres que vivem e sofrem, como eles uma vez viveram e sofreram. Quando o fiel ora para o santo de sua fé, ele está pedindo sua intercessão junto a Deus. Assim, os santos são também intermediários entre os homens e Deus. Segundo Santo Agostinho, eles são distribuidores de dádivas sobrenaturais, operando verdadeiros milagres. A confiança depositada na entidade gera força no fiel, que acaba por alcançar verdadeiros milagres. E quanto maior a identificação, a inspiração, a certeza de que aquele santo é capaz de despertar esse poder místico, mais certamente as circunstâncias se reverterão em favor do devoto.

No início, o termo "santo" era usado para designar todos os cristãos. O apóstolo Paulo se referia, muitas vezes, aos membros da fraternidade cristã como "santos", isto é, "sagrados" ou "consagrados". Mais tarde, o título "santo" passou a ser aplicado para honrar os mártires executados em defesa da nova fé. Os primeiros patriarcas e as liturgias das Igrejas Oriental e Ocidental começaram a registrar por escrito os martírios sofridos por esses religiosos. Os relatos circulavam de igreja para igreja no mundo cristão, venerando a memória daqueles que morreram pela sua crença.

Anjos

Na tradição judaico-cristã, os anjos são os mensageiros de Deus, os assistentes do trono divino, os intermediadores entre Deus e os homens, os protetores da humanidade. São, também, os executores do Plano Divino, criaturas aladas que povoam os textos sagrados da maioria das grandes religiões, membros de uma hierarquia celestial, conhecedores dos mistérios do Universo. São os regentes da harmonia do Universo, a própria ordem das coisas. Nem sempre bons, às vezes trazem o mal; outras, anunciam a morte. Alguns são anjos caídos, outros são anjos da guarda. É a eles que muita gente se dirige em suas orações pedindo que defendam suas causas junto a Deus.

A ideia de seres intermediários entre Deus e o Homem é comum a diversas culturas e é característica das religiões dos povos do Oriente Médio. Os babilônios veneravam os *sukallis*, equivalentes aos espíritos mensageiros da Bíblia. Além de executarem as ordens de seu senhor, eram vice-regentes do Universo. Eram vistos como príncipes: os filhos

Os anjos são, também, mensageiros entre o Céu e a Terra (Ponte de Santo Angelo, Roma)

da deidade a quem serviam. E como havia muitos deuses e deusas, os babilônios tinham uma grande hierarquia de anjos e demônios, cada qual presidindo sobre algum aspecto particular da natureza. O historiador da religião Eugene Haag escreveu em seu livro *Teologia Bíblica* que os anjos são as antigas divindades que foram eclipsadas pela expansão do monoteísmo.

Entre os judeus, os anjos assumiram um papel de destaque. Aparecem em diversas passagens do Velho Testamento, ora como mensageiros de Deus, ora como executores da lei divina, ora como guias do povo. Nesse conjunto de textos, eles iluminam os profetas, derrotam as hostes que se levantam contra Israel, orientam os líderes do povo. Dessa forma, os anjos do Velho Testamento prefiguram a ideia do Redentor, o ser divino que virá salvar a humanidade de si mesma.

A palavra "anjo" deriva da tradução grega do hebreu "mensageiro", isto é, "aggelos". O termo apareceu na primeira tradução da Bíblia hebraica para o grego, a Septuaginta, realizada entre o terceiro e o primeiro séculos antes de Cristo. De fato, o Velho Testamento contém diversas referências a essas criaturas que conhecem os mistérios celestiais tanto quanto o próprio Deus, a quem se assemelham em perfeição. No entanto, aqui, sua importância é ofuscada pela grandeza da mensagem que portam ou pela missão que têm de executar.

O Ósculo Sagrado

"Terminadas as orações, saudamo-nos mutuamente com um beijo", escreveu Justino, o Mártir, na sua defesa do cristianismo. O beijo, saudação tradicional entre os membros de uma família, tornou-se um forte símbolo de unidade e reconciliação quando trocado entre os cristãos. Dava-se geralmente antes da partilha da Eucaristia para celebrar o fato de os homens e mulheres da comunidade serem irmãos e irmãs, em espírito, através do amor de Cristo.

O beijo era uma maneira de lembrar o amor de Jesus pela sua Igreja. Na verdade, a palavra grega utilizada no Novo Testamento para "beijo" é philema, derivada do verbo grego *philein*, "amar". O apóstolo Paulo ordenava muitas vezes aos fiéis: "Saudai-vos uns aos outros com o ósculo santo".

A prática ajudou a despertar os boatos de incesto entre os cristãos. Mas o beijo na boca trazia outros e mais sérios problemas aos primeiros cristãos, como o de evitar que os ósculos santos se tornassem carnais. O fato de alguns "irmãos e irmãs" gostarem tanto dos ósculos santos que tornavam a repeti-los levou Atenágoras, apologista do século 2, a aconselhar que o beijo litúrgico fosse um ritual "cautelosamente observado".

Com o tempo, surgiram normas que permitiam aos homens beijarem apenas os homens, e às mulheres apenas as mãos cobertas dos homens. Licínio, coimperador com Constantino de 311 a 324, proibiu o culto dos cristãos em assembleias mistas por causa dos rumores de beijos desregrados e promiscuidade generalizada.

Apesar dos falsos boatos de libertinagem espalhados pelos não crentes e das tentações físicas da parte dos fiéis, a Igreja, no início, manteve firmemente a prática. Mas, pouco a pouco, a troca de beijos na boca foi modificada. Na parte final da Idade Média, a Igreja começou a estimular o abraço em vez do beijo. Os fiéis eram instruídos a tocar os ombros da pessoa que recebia, que por sua vez segurava os cotovelos da pessoa que dava o beijo, inclinando ambos a cabeça um para o outro. Em épocas mais recentes, as Igrejas aconselhavam intensamente os fiéis, antes de partilharem a Eucaristia, a manifestar o espírito de unidade cristã apertando as mãos. Esse gesto é conhecido como "sinal da paz".

Marcião

Por volta de 140 d.C., Marcião, filho de um bispo do Norte da Ásia Menor (no início do cristianismo o casamento de sacerdotes era permitido) e fundador de uma facção cristã chamada de marcionita, tentou reformar a Igreja e impor uma visão particular de Jesus. Ele rejeitou o Antigo Testamento e elaborou uma lista dos textos das

Escrituras que deveriam ser aceitos. Marcião citava apenas um dos Evangelhos, o de Lucas, e incluía dez das cartas de Paulo.

Marcião afirmava que Jesus Cristo era o salvador enviado por Deus Pai, que Paulo era seu maior apóstolo. O pregador entendia que o corpo de Cristo era apenas uma imitação de um corpo material. Ele acreditava que, ao ser crucificado, Cristo purgou os pecados da humanidade, absolvendo-a e permitindo que ela então herdasse a vida eterna. Marcião propunha, ainda, que o cristianismo era distinto e oposto ao judaísmo.

As ideias de Marcião deram início a uma controvérsia feroz que só foi resolvida no Concílio de Niceia, em 325, quando o imperador Constantino, depois de ter adotado o cristianismo como religião oficial do império, interveio decisivamente no debate.

O Montanismo

Uma interpretação de Jesus e de sua mensagem, no início da era cristã, foi a Nova Profecia – mais conhecida por "montanismo", do nome do seu fundador, Montano. Nascido na Frígia, região da atual Turquia, conhecida na Antiguidade pela sua religião pagã de êxtase, centrada na Grande Mãe Cibele. Montano tinha sido sacerdote dessa deusa. Convertido ao cristianismo, proclamava ser instrumento da manifestação do Espírito Santo, conforme predito por João: "Quando vier o Espírito da Verdade, Ele vos conduzirá à verdade plena, pois não falará de Si mesmo, mas dirá tudo o que tiver ouvido e vos anunciará as coisas futuras" (João 16:13).

A mensagem de Montano era simples e revolucionária: o mundo, como o conhecemos, terminaria em breve, Cristo regressaria e a Jerusalém Celeste desceria à Terra, em Pepuza, na Ásia Menor. Montano e os seus ouvintes parecem ter acreditado que as palavras não eram dele, mas do Espírito Santo, que falava através dele. Fazia afirmações espantosas como: "Eu sou o Senhor Deus Todo-Poderoso, habitando, neste momento, um homem."

O Arianismo

Uma questão teológica genuína e fundamental – a divindade de Cristo – foi proposta por Ário, presbítero de Alexandria. Ele elaborou uma doutrina a respeito da relação de Cristo com Deus Pai que defendia que Cristo era menor que Deus, e não igual a Ele, pois, como precisou ser gerado pelo Pai, houve um tempo em que esse Filho não existiu. Cristo, portanto, não compartilhava a mesma eternidade que Deus Pai.

Ário era inteligente, independente e popular. Tal como o seu predecessor, Orígenes, e outros teólogos cristãos, Ário discordava de muitos crentes no que diz respeito à natureza do Filho de Deus e sua relação com o Deus Pai. Dizia existir "um Deus que é o único não gerado, o único eterno e o único sem princípio". O Filho de Deus, dizia Ário, foi criado e, portanto, tem de estar subordinado ao Pai. Muitos resumiam a doutrina ariana na seguinte frase: "Houve um tempo em que Ele [o Filho] não era". De fato, Ário negava, se não a divindade, pelo menos a coeternidade do Filho de Deus.

Outros teólogos afirmavam que o Filho de Deus vinha do "próprio Deus", não "do não existente", como proclamava Ário. O Filho de Deus é divino, e não apenas eterno, mas gerado na eternidade, explicavam. Alexandre, bispo de Alexandria, intimou Ário a deixar de pregar as suas opiniões. Mas era tarde, Ário, cuja oratória e argumentação filosófica eram notórias, adquirira fortes partidários entre os cristãos da Alexandria, incluindo o clero. Em aproximadamente 318, um sínodo de aproximadamente cem bispos egípcios e líbios examinou as doutrinas de Ário, condenou-o como herege e excomungou-o.

O Concílio de Niceia

A questão levantada por Ário tocava fundo e até mesmo ameaçava a estabilidade do cristianismo. Se a Igreja dava ao mundo uma religião monoteísta acessível a todos, claramente distinta do judaísmo por conta da sua fé na divindade de Cristo, negar ou reduzir essa divindade abalava um preceito fundamental do cristianismo. Para debater a questão, bispos de todas as partes da cristandade reuniram-se na residência imperial de Niceia. Foi o primeiro concílio cristão ecumênico

Bispos reunidos no Concílio de Niceia

da história da Igreja. Além disso, as decisões tomadas durante o concílio tornaram-se a autêntica ortodoxia da Igreja.

Numa tentativa de conciliar as duas facções divergentes, o bispo Eusébio de Cesareia propôs um credo batismal, há muito usado na Palestina e na Síria. Tratava-se de uma profissão de fé, a qual Constantino aprovou imediatamente. Alguns bispos, porém, disseram que o credo de Eusébio incorporava tanto as ideias ortodoxas como as arianas. Constantino sugeriu, então, que o credo fosse aumentado e que incluísse a palavra "consubstancial", isto é, feito "da mesma substância", para descrever a relação entre o Pai e o Filho. Era uma palavra forte, usada por certos cristãos do século 3 condenados por negarem a Trindade. Havia também oposição popular generalizada ao termo por não figurar nas Escrituras. Mas a palavra fora rejeitada pelo próprio Ário na sua declaração de fé. A grande vantagem do termo para os antiarianos, era, portanto, a sua total rejeição pelos arianos.

A proposta foi aceita por unanimidade. Todos, com exceção de Ário e de dois dos bispos, concordaram com a sugestão de

Constantino. Dessa forma, elaborou-se um credo, que incluía ainda quatro anátemas, ou condenações eclesiásticas, contra os quatro principais dogmas arianos.

1) Cristo não tinha a mesma substância que Deus;
2) Cristo foi criado por Deus;
3) Cristo não era eterno;
4) Cristo não era a encarnação do logos.

O Protestantismo

Uma nova visão da mensagem de Jesus foi proposta no século 16, por um movimento iniciado na Alemanha e liderado por um monge. A ideia alastrou-se por todo o norte da Europa e varreu o continente com guerras religiosas.

Em 1517, o monge agostiniano alemão Martinho Lutero protestou contra a venda de indulgências e outras práticas papais. Lutero expôs, conforme o padrão acadêmico de então, seus argumentos em uma lista de 95 teses, que desenvolveria e debateria à porta da igreja do castelo de Wittenberg, onde era professor. O monge afixou seus protestos em latim em 31 de outubro daquele ano. As teses refletiam uma visão mais rígida, talvez mais literal ou pura, dos ensinamentos de Jesus.

Lutero afirmava que nem a Igreja, nem a frequência dos sacramentos eram necessárias à salvação. O que importava, dizia ele, era a fé em Jesus Cristo. Em última instância, Lutero ensinava que era possível ter esperança na salvação mesmo sem a Igreja, confiando no relacionamento particular de cada pessoa com Deus. Dessa forma, ele colocou a Bíblia na frente da autoridade clerical, postulando que a palavra de Deus podia ser consultada por todos sem a interposição da Igreja. Era uma visão revolucionária, que enfatizava a consciência e a responsabilidade individuais, buscando o exemplo de Jesus.

A Divisão das Igrejas Protestantes

As igrejas protestantes se dividem em três ramificações: as tradicionais, as pentecostais e as neopentecostais. As tradicionais compreendem principalmente as chamadas igrejas históricas que se

Igreja protestante no Canadá

originaram na Reforma Protestante ou em uma época bem próxima dela. As Pentecostais, por sua vez, englobam as igrejas que tiveram início nos Estados Unidos entre 1906 e 1910. Esse fenômeno é o resultado de um racha entre igrejas americanas. As experiências místicas do "batismo no Espírito Santo" levaram os membros que experimentaram essa vivência a serem excluídos de suas antigas igrejas, formando assim outras comunidades que levaram o nome de Assembleias de Deus (não confundir com a igreja brasileira que leva o mesmo nome). Finalmente, as neopentecostais são igrejas oriundas do pentecostalismo original ou mesmo das igrejas tradicionais. Surgiram 60 anos depois do movimento pentecostal.

Os Diferentes Grupos

Mais rígidos na interpretação da doutrina, os evangélicos tradicionais diferem dos pentecostais apenas em relação à experiência do chamado "Batismo no Espírito Santo". Não aceitam o "Falar em outras línguas" (glossolalia) e dão forte ênfase ao ensino teológico e ao trabalho social, não se preocupam com costumes como o uso de vestimentas e adornos.

Os neopentecostais, por sua vez, formaram uma outra igreja coexistindo juntamente aos pentecostais, mas sem se identificar com elas. Dão bastante ênfase ao louvor e são mais flexíveis teologicamente. É o grupo que mais cresce atualmente no Brasil – resultado do maciço investimento na mídia, como fazem as igrejas Universal e da Graça.

As Igrejas Protestantes Tradicionais ou Históricas

- **Luterana:** fundada por Martinho Lutero (1524)
- **Presbiteriana:** Fundada por João Calvino (1517)
- **Anglicana:** Fundada pelo rei da Inglaterra Henrique VIII (1558)
- **Batista:** Fundada por John Smith (1609)
- **Metodista:** Fundada por John Wesley (1740)

Principais Igrejas Pentecostais do Brasil

- **Assembleia de Deus:** Fundada pelos missionários suecos Daniel Berg e Gunnar Vingren (1911) é a principal expoente do pentecostalismo no Brasil.
- **Congregação Cristã no Brasil:** Fundada por Louis Francescon (1910)
- **Igreja do Evangelho Quadrangular:** Fundada por Aimee Semple McPhersom (1950)
- **O Brasil para Cristo:** Fundada por Manoel de Mello (1955)
- **Deus é Amor:** Fundada por Davi M. Miranda (1962)

Primeiras Igrejas Neopentecostais Brasileiras

- **Universal do Reino de Deus:** Fundada por Edir Macedo (1977)
- **Igreja Internacional da Graça de Deus:** Fundada por Romildo R. Soares (1980)
- **Sara Nossa Terra:** Fundada por Robson Rodovalho (1980)
- **Renascer em Cristo:** Fundada por Estevam Hernandez (1986)

Kardecismo

De acordo com as correntes espíritas, Allan Kardec, o fundador do Kardecismo, propôs um "cristianismo redivivo", uma nova leitura da mensagem de Jesus Cristo. De fato, o cunho do kardecismo é basicamente cristão, concebido, desde o início, por seu postulador a partir do cristianismo. De acordo com seus seguidores, Kardec abraçou a missão de codificar a doutrina que Jesus prometera no Sermão do Cenáculo, também conhecido como "Santa Ceia". Naquela ocasião, Jesus havia dito aos discípulos que mandaria um Consolador, o Espírito Verdade para "descortinar o véu" de tudo o que havia ensinado a eles. Foi assim que os espíritas identificaram o Espírito da Verdade, que responderia, através dos médiuns, sobre as dúvidas encontradas nos Evangelhos, sob a direção do professor Rivail. Portanto, afirmam eles, o kardecismo é o resultado de um trabalho coletivo e conjugado entre espíritos, médiuns e o ilustre pedagogo e cientista que não quis publicar as obras com o seu nome, mas sim como Allan Kardec, um nome que representava, na Terra, a falange do Consolador Prometido por Jesus. Assim, o espiritismo é considerado o Cristianismo Redivivo. Conforme afirma Silvia Cristina Stars de Carvalho Puglia, da Federação Espírita do Estado de São Paulo, "Acreditamos e procuramos colocar em prática os ensinamentos do Mestre Jesus: 'Amar a Deus, e ao próximo como a si mesmo'".

Allan Kardec

Na França, em meados do século 19, um professor cético acabou cedendo às estranhas evidências que encontrou. Esse francês de Lyon concebeu e divulgou algo que pode ser definido como uma "ciência espiritual" observada através da lente do cristianismo.

O conhecimento preconizado por Léon Hippolyte Denizart Rivail (1804 – 1869), um filósofo e educador tão afeito à ciência que frequentava várias academias científicas, buscava o progresso e a regeneração moral e

Allan Kardec

intelectual da humanidade. Chamou a filosofia que veio a conceber de "Espiritismo", pois se baseou nos estudos que realizou sobre a manifestação dos espíritos, a partir de 1855.

Em 1857, Rivail começou a publicar suas conclusões sob o pseudônimo de Allan Kardec – o nome que recebera em uma das suas encarnações, na qual tinha sido um druida gaulês.

Um dos preceitos revolucionários do espiritismo, que Kardec definiu como uma "ciência experimental e doutrina filosófica", era uma interpretação diferente da sentença de Cristo, "ninguém vem ao Pai senão por mim" (João 14:6), geralmente entendida como "só a Igreja leva ao Pai". Em vez desse pensamento, Allan Kardec propunha o "fora da caridade não há salvação". Tal era uma visão específica do exemplo de Jesus Cristo, grande inspirador do espiritismo. Para Kardec, a caridade iguala os homens perante Deus, liberta a consciência e irmana a humanidade através da tolerância e benevolência. Em lugar da "fé cega", que aniquila a liberdade de pensar, o Espiritismo instituía a "fé inabalável", que podia "encarar a razão face a face, em todas as épocas da humanidade".

Judaísmo

Um Deus Abstrato

De acordo com as evidências disponíveis, os hebreus foram o primeiro povo a conceber uma noção abstrata de Deus. Já havia, no Oriente Médio, a noção do monoteísmo, como o culto ao deus Aton, no Egito, instituído pelo faraó Akhenaton (embora por um curto período), e o culto a Marduk, na Mesopotâmia. Contudo, apenas os hebreus chegaram a um monoteísmo, conforme classificou o historiador britânico J.M. Roberts, "coerente e inflexível". Essa noção foi consolidada com a ideia de que o povo de Israel devia obediência exclusiva a Iavé, Javé, Jeová ou Senhor. Iavé fez um pacto com seu povo para levá-lo de volta à Terra Prometida, ou Canaã, para onde já havia levado Abraão. Esse pacto foi essencial. A partir dele, os judeus sabiam que, se fossem fiéis ao Senhor, seriam recompensados.

Javé

Um dos traços principais do culto de Javé era o fato de sua imagem não poder ser reproduzida. Por vezes, aparecia num templo erigido pelos homens; por outras, manifestava-se pela natureza. Com o desenvolvimento da religião dos hebreus, ele passa a ser visto como um Ser transcendente e onipresente. Mais tarde, essa tradição enfatizou a fuga do Egito, liderada pela figura heroica – e misteriosa – de Moisés, que teria aberto o mar para os hebreus passarem. O relato bíblico da passagem pelo Monte Sinai poderia ser considerado o momento crítico em que a consciência do povo hebreu é criada. Quando Moisés dá aos israelitas os Dez Mandamentos recebidos de Javé, a aliança ente o Senhor e o seu povo se renova.

Uma Religião de Ação

Como outras religiões, o judaísmo não envolve apenas rituais, cerimônias e conhecimentos religiosos. Mais do que isso, essa religião compreende todo um sistema de vida. Para quaisquer circunstâncias e situações, estão previstos comportamentos específicos. De fato, a Torá, o livro das leis judaicas, estabelece claramente quais são as ações corretas a realizar.

Judeus ortodoxos em Jerusalém

Uma das características do judaísmo é a crença de que a fé é algo que deve ser conquistado através das ações. É a ação que pode criar as condições para que se possa conhecer, sentir e acreditar. O que vale é agir de acordo com a Lei Divina, desenvolvida há milhares de anos.

A Bíblia

Resultado de uma longa história de tradição oral e escrita, que se inicia no segundo milênio a.C., a Bíblia é um dos livros mais influentes da História, moldando a religião, a literatura e a política em todo o mundo ocidental, há dois mil anos. Traduzida para praticamente todos os idiomas mais conhecidos, é fonte de história e orientação espiritual para milhões de pessoas.

A Bíblia contém os textos fundamentais do cristianismo e do judaísmo. Como o cristianismo tem o judaísmo como base, a nova religião também adota os textos usados por essa religião. Contudo, desde a ascensão do cristianismo no início do primeiro milênio antes de Cristo, a Bíblia foi dividida em duas partes, de forma a refletir a crença cristã de que a relação humana com Deus foi modificada por Jesus Cristo. O Velho Testamento, que contém as escrituras judaicas, conta a história da criação do mundo e como o primeiro homem e mulher, Adão e Eva, desobedeceram a Deus e foram expulsos do Jardim do Éden. Também descreve a história do povo hebreu e sua relação com Deus por mais de mil anos. O Novo Testamento traz a narrativa da vida, do ministério, da morte e da ressurreição de Jesus Cristo, feitos com base em seus seguidores e cartas às novas igrejas. Enfatiza a mensagem de justiça e amor de Jesus e afirma seu aspecto divino, enquanto Filho de Deus.

A Bíblia Judaica

Os primeiros textos da Bíblia judaica são anteriores ao primeiro milênio antes de Cristo e incluem material composto até o segundo século antes da nossa era. Contém os textos sagrados do povo judeu que, de acordo com sua religião monoteísta, são o povo escolhido por Deus, com quem firmaram uma aliança.

A Bíblia judaica contém 24 livros divididos em três seções: a Lei (Torá), os cinco primeiros livros; Profetas (Nevi'im); e os Escritos (Ketuvim). Esses textos passaram por uma longa história de tradição oral antes de terem sido escritos em hebraico com algumas passagens em aramaico. A Bíblia judaica comum é chamada de texto massorético ou "transmitido".

O Velho Testamento

O Velho Testamento reúne narrativas, leis, orações, provérbios, poemas e literatura sapiencial. Alguns desses textos são, em sua forma escrita, provavelmente anteriores ao primeiro milênio antes de Cristo. O último material incluído – partes do livro de Daniel –, data do segundo século antes da nossa era. Grande parte do Velho Testamento se baseia na tradição oral – o que torna a origem dos textos ainda mais antiga. Os autores da maioria dos textos são desconhecidos, embora a tradição os atribua a Moisés, aos profetas, aos reis e a outros autores. Os livros passaram por uma série de revisões ao longo do tempo e, quase sempre, seu aspecto canônico toma forma séculos depois de seus presumíveis autores. Para dificultar ainda mais, há relativamente pouca evidência arqueológica confirmando as narrativas históricas mais antigas do Velho Testamento. Mesmo assim, o Velho Testamento representa para os judeus, cristãos e muitos outros leitores, mesmo os

O Muro das Lamentações, em Jerusalém

Judaísmo

O patriarca Jacó (vitral na Igreja de Nossa Senhora, Dinant, Bélgica)

que não aceitam os textos como a palavra de Deus, um conjunto de livros fundamental, que proporciona uma unidade religiosa essencial.

O Mundo do Velho Testamento

O Velho Testamento centra-se na história dos hebreus, mais tarde chamados de judeus, por conta do reino de Judá, ao qual voltaram depois do exílio. De acordo com os relatos bíblicos, os primórdios desse povo têm origem nos patriarcas Abraão, Isaque e Jacó. Pode ser que esses homens tenham existido e, com o passar do tempo, suas vidas foram mescladas a lendas e eles tornaram-se figuras de grande vulto e influência. Se existiram, foi por volta de 1800 a.C. A Bíblia nos diz que Abraão foi para Canaã, depois da queda de Ur, sua terra de origem, na região da atual Síria. Seus descendentes, chamados de hebreus, ou "errantes", aparecem nos textos e inscrições egípcias dos séculos 14 e 13 a.C., muito depois do estabelecimento do primeiro povoamento hebreu em Canaã.

O Povo de Abraão

A Bíblia retrata o primeiro povo de Abraão como uma tribo de pastores disputando com seus vizinhos e parentes as melhores pastagens e poços. É um povo vulnerável, meio nômade, propenso a ser desalojado de suas terras pela seca e pela escassez. Um desses grupos, que a Bíblia chama de tribo de Jacó, foi para o Egito, provavelmente no início do século 17 a.C. Um dos filhos de Jacó, José, consegue um lugar de destaque, a serviço do faraó. Entretanto, não há, nos registros egípcios, nada que comprove a existência de um criado real de origem hebraica na corte de algum faraó.

Canaã

Ao chegar a Canaã, no século 13 a.C., os hebreus conquistaram e destruíram cidades cananeias, conforme relata o Livro de Josué. As tribos hebraicas – e as cananeias conquistadas – mantinham sua união por meio do culto, comum entre elas, a Jeová. Dos cananeus, mais evoluídos culturalmente, os hebreus adotaram a escrita e a prática da construção. Pressionados pelos filisteus, organizaram-se militarmente, o que os levou ao estágio seguinte na construção de uma nação. Próximo do ano 1000 a.C., uma realeza judaica havia se estabelecido, bem como uma classe especial chamada de profetas. Esses homens, poetas e críticos políticos e morais, aconselhavam os reis em seu governo. Acreditava-se que o Senhor falava por meio

O Rei Davi compondo seus Salmos

desses homens. Um desses profetas, Samuel, sagrou o primeiro rei, Saul, e o seu sucessor, Davi, que, em seus reinados, consolidaram uma nação, de fato. Saul conquistou vitórias, e Davi terminou por conquistar os filisteus e se impôs aos vizinhos, reunificando o reino, que havia sido dividido depois da morte de Saul.

Jerusalém

A partir do reinado de Davi, Jerusalém se tornou a capital de Israel. Salomão, filho e sucessor de Davi, foi o primeiro rei israelita a conquistar uma posição de destaque no cenário internacional. Foi um grande construtor, tendo erigido, em Jerusalém, o lendário Templo do Senhor, ou Templo de Salomão. Esse rei também organizou uma armada, empreendeu conquistas militares e comandou Israel durante um período de grande prosperidade.

Embora Salomão tenha encorajado casamentos que solidificassem as alianças políticas, depois da sua morte, seu filho mais velho e herdeiro, Roboão (933 - 917 a.C.) não foi capaz de manter a fidelidade das tribos do norte. Sob Jeroboam I (933 – 912 a.C.), que tinha servido ao rei Salomão como chefe dos servos da tribo de José, essas tribos criaram o reino independente de Israel. Judá permaneceu como um segundo reino independente, sob Rehoboam, leal à casa de Davi. Ainda que os dois reinos preservassem um certo sentido de unidade cultural e religiosa, trilhando caminhos distintos, diferiam da sua política interna e externa.

A Queda de Israel

Em 722 a.C. o assírio Sargon II conquista Israel, fazendo mais de 27 mil prisioneiros, e converte o país em uma província assíria. O reino de Judá, por seu lado, continuou a política de Salomão, enfatizando as relações exteriores e mantendo-se alinhado com as forças do Egito, Assíria e Babilônia. Quando necessário, Judá aceitava pagar tributos, sujeitando-se à condição de Estado vassalo. Essa política permitiu que o reino tivesse uma vida mais longa que Israel, tendo sido conquistado, por Nabucodonosor, somente em 587 a.C., quando o rei babilônio destruiu o Templo de Jerusalém e levou a maioria da população para a Babilônia como escrava. No cativeiro, privados de seu templo – o centro do seu culto –, dedicavam-se à leitura semanal das Escrituras, prática que, ao longo do tempo, levou ao surgimento da sinagoga, um local de ensino e de leitura e não de sacrifícios. Em 538 a.C., depois que a Pérsia destruiu a Babilônia, os exilados voltaram a Jerusalém, guiados por seus profetas. A partir de então, esses profetas pregaram uma observação mais estrita à lei judaica, de forma a distinguir os judeus dos demais povos, ou "gentios", e reconstruíram seu templo.

Padrão Ético

Os judeus, como os hebreus passam a ser chamados depois do exílio, são lembrados não pelos grandes feitos ou conquistas, mas por conta do padrão ético proposto pelos seus profetas. Esses profetas moldaram os vínculos da religião com uma moral que viria a dominar o mundo ocidental por meio não só do judaísmo, mas também do cristianismo e do islamismo. Essa ética religiosa se instila, conforme o historiador americano Will Durant, "no fortalecimento da unidade, da saúde, da moral e da coragem de um povo em perigo".

As Doze Tribos de Israel

Rúben	Dã	Issacar
Simeão	Naftali	Zebulão
Levi	Gade	José
Judá	Aser	Benjamim

Símbolos das doze tribos hebraicas

A Torá, hoje, como na Antiguidade, é publicada como livro de rolo

A Torá

A doutrina judaica está descrita nas Sagradas Escrituras do judaísmo. São livros que formam a Bíblia como a conhecemos, divididos em três partes: A Lei (Torá), Os Profetas (Nebi'im) e os Escritos Sapienciais, ou Hagiógrafo (Ketubim).

A palavra Torá referia-se originalmente a uma instrução particular transmitida ao povo por um porta-voz de Deus, como um profeta ou sacerdote. É a herança do povo judaico, seu verdadeiro e imutável guia de vida. Como esses ensinamentos consistem, principalmente, de preceitos, a palavra Torá é, muitas vezes, traduzida como "Lei".

A Torá também é chamada de Pentateuco, pois é composta de cinco livros: Gênesis, Êxodo, Levítico, Números e Deuteronômio. Nela estão registrados os primeiros tempos da história de Israel, quando os israelitas foram libertados por Moisés da escravidão no Egito para se tornarem o povo escolhido por Deus.

O livro Gênese começa com um relato da criação do mundo e do princípio da vida e da civilização humana. Seguem-se, ocupando o restante do livro, as narrativas dos patriarcas. São histórias humanas, de proporções épicas. Têm um significado supra-histórico devido ao tema da Aliança de Deus com Abraão e seus descendentes. O livro Êxodo move-se rapidamente da escravização dos descendentes de Jacob no Egito até sua libertação sob o comando de Moisés, quando a Aliança com Deus é reafirmada e restabelecida e todo povo se compromete a obedecer às suas leis. Desse ponto em diante, por todo o restante do Pentateuco, a narração se torna mais dispersa e a legislação toma o seu lugar. O livro do Deuteronômio recapitula as leis e, em menor escala, as narrativas dos livros precedentes, na estrutura dos discursos de Moisés, e termina com a sua morte.

Segundo os rabinos, no Pentateuco há 613 preceitos – 248 mandamentos e 365 proibições. Esse material todo, ao menos em tese, teria sido escrito por Moisés até 1.225 a.C, mas estudiosos acreditam que a Torá contém textos procedentes de diferentes séculos, que só foram compilados entre 800 e 600 a.C.

No entanto, alguns estudiosos atribuem uma função ainda mais incrível à Torá. Eles afirmam que a repetição de letras em intervalo são um código capaz de revelar mensagens ocultas e, até mesmo, de predizer o futuro.

O Código da Bíblia

De acordo com o Rabino Avraham Steinmetz, em seu recente artigo *Os Códigos da Torá*, as letras *yud, shin, resh, alef e lamed* – que compõem a palavra "Israel" – são encontradas em intervalos de sete letras no primeiro parágrafo da bênção do kidush, recitada nas noites de sexta-feira. Padrões semelhantes de palavras foram encontrados há mais de meio século por um rabino de origem tcheca, Michael Weismandel. Mas somente com o advento dos modernos computadores foi possível verificar estatisticamente se esses padrões de palavras são involuntários e simples coincidências, ou se foram deliberadamente criptografados na Torá. Depois da morte de Weismandel, seus discípulos e os rabinos Shmuel Yavin e Avram Oren continuaram o seu trabalho de pesquisa de palavras e padrões codificados na Torá.

Tese Confirmada

O grande avanço no estudo do código da Bíblia ocorreu no início da década de 1980, quando um rabino de Jerusalém mostrou ao Dr. Eliyahu Rips, renomado professor de Matemática na Universidade Hebraica de Jerusalém, o trabalho do rabino Weismandel. Com a ajuda de avançadas ferramentas de estatística e computadores modernos, o Dr. Rips iniciou sua pesquisa buscando na Torá padrões de palavras e, a seguir, verificando matematicamente se eles haviam sido propositalmente codificados.

As experiências prosseguiam e confirmavam a tese do código encriptado na Torá. Em 1986, o Dr. Eliyahu Rips, Doron Witztum e Yoav Rosenberg realizaram uma extensa experiência: desvendar se os nomes de 64 rabinos famosos estavam codificados em intervalos de letras iguais no primeiro livro da Torá. Descobriram que, realmente, os nomes dos 64 grandes rabinos estavam de fato codificados em Bereshit, e suas datas de nascimento e morte estavam bem próximas a cada um de seus respectivos nomes. A probabilidade de que tais códigos sejam uma feliz coincidência é de 1 em 62.500. Esse resultado estatístico é altamente significativo e indica que todas estas informações haviam sido deliberadamente codificadas na Torá milhares de anos antes de esses rabinos terem nascido.

Críticas

Os resultados desta experiência, no entanto, não estão isentos de críticas. Muitos argumentam que o fenômeno dos códigos é peculiar à língua hebraica. Para contra-argumentar, Eliyahu Rips, Doron Witztum e Yoav Rosenberg tentaram duplicar a experiência em textos hebraicos aleatórios. E não encontraram esses códigos em nenhuma outra publicação em hebraico. Nos últimos três anos, vários outros matemáticos tentaram encontrar a "falha fatal" nesta experiência. Mas, de acordo com o rabino Avraham Steinmetz, nenhum teve sucesso. "Mais cedo ou mais tarde, muitos falsos códigos serão desmascarados. No entanto, isto não deverá fazer com que se negue a existência de códigos legítimos na Torá. Os resultados do experimento dos rabinos famosos são estatisticamente válidos. Não podem ser atribuídos a meras coincidências e, portanto, não podem ser encontrados em nenhum outro texto hebraico", conclui Steinmetz.

Os Manuscritos do Mar Morto

Em 1947, o pastor Mohamed el-Dhib, conhecido entre os membros da tribo beduína Ta'amireh como "Lobo", fez uma das mais importantes descobertas arqueológicas do século 20. Dentro de uma caverna que encontrou casualmente, o pastor recuperou um vaso de cerâmica repleto de antigos manuscritos. Sem suspeitar da importância desses manuscritos, el-Dhib anunciou sua descoberta.

Caverna onde foram encontrados os Manuscritos do Mar Morto

Um ano depois, Roland Devaux, um padre francês dominicano que chefiava a escola bíblica em Jerusalém, conduziu pesquisas arqueológicas sistemáticas na região de Qumran. Além dos arqueólogos, os próprios beduínos continuaram a busca pelos artefatos. Até 1956, onze cavernas foram descobertas – cinco pelos beduínos e seis pelos arqueólogos. Em uma delas – a caverna 4 – foram encontrados quinze mil fragmentos de pelo menos seiscentos textos. A maioria dos textos foi guardada no Museu Rockefeler, em Jerusalém, no Instituto de Antiguidades de Israel (IAI).

O professor Sukinik e o padre Devaux definiram os rolos como sendo da época do segundo templo, apoiando a teoria de que os textos faziam parte da biblioteca dos Essênios – uma seita sectária judaica da época. Essa tese acabou sendo comprovada por provas linguísticas, paleográficas e históricas, corroboradas por identificação por carbono 14. Alguns manuscritos foram escritos e copiados no século 3 a.C., mas a maioria do material data do século 1 a.C. Outros textos datam da época da destruição da comunidade, em 68 d.C., pelas legiões romanas. A importância desses documentos está no fato de serem as cópias mais antigas conhecidas da Bíblia hebraica, que é, também, o Velho Testamento, dos cristãos. Eles revolucionaram as críticas aos textos da Bíblia hebraica. Anteriormente, a fonte mais antiga de estudos era o Codex de Alepo, do início do século 10 da era cristã.

Duas Bíblias

Os Manuscritos do Mar Morto, como vieram a ser conhecidos, mostram que havia várias versões da Bíblia circulando naquela época. A partir deles, também é possível se traçar o desenvolvimento da língua hebraica, inclusive o conhecimento das práticas dos escribas. Apesar de não fazerem qualquer referência ao cristianismo, as escrituras dos Essênios dão uma clara visão do ambiente histórico e social em que esta religião se desenvolveu, a partir do judaísmo. Há semelhanças entre as crenças e práticas delineadas na literatura de Quram e as dos primeiros cristãos, incluindo rituais de batismo, refeições comunais e direitos de propriedade. Há um paralelo interessante das estruturas organizacionais. Os Essênios se dividiam em doze tribos lideradas por doze chefes, semelhante à estrutura inicial da Igreja com seus doze Apóstolos – os líderes da nova religião.

Os fragmentos de Quram incluem todos os livros da Bíblia, exceto o Livro de Ester. Sabe-se que, entre esses textos, os Essênios mais prezavam a Torá. Além desses, foram encontrados mais de quatrocentos textos não bíblicos, desconhecidos antes de 1947. Segundo muitos estudiosos, esses textos representam o verdadeiro tesouro de Quram. As obras, escritas em hebraico, aramaico e grego revelam as crenças e os costumes de uma comunidade piedosa. Essas múltiplas cópias são relacionadas às regras e ordenações da comunidade de Quram, comentários bíblicos, revelações e liturgias, produzidos entre o final do século 2 a.C. e 68 d.C.

Os Essênios

O padre Roland Devaux acreditava que a escavação desse sítio poderia fornecer provas que ajudariam a identificar as pessoas que depositaram os manuscritos nas cavernas. As pesquisas lideradas por Devaux entre 1951 e 1956 revelaram um complexo de estruturas consideravelmente preservadas. O arqueólogo descobriu que essas estruturas tinham um caráter comunal. Havia uma torre de observação, um refeitório coletivo, um escritório onde os pergaminhos eram copiados, armazéns, oficinas de cerâmica, cisternas de água e banhos rituais. Além disso, foram escavados vários utensílios de pedra, moedas, tecidos, objetos de couro e madeira, todos preservados graças ao clima seco do deserto. Essas descobertas são importantes porque dão uma ideia da vida diária da comunidade. Devaux acreditava que o sítio era o retiro desértico da seita dos Essênios. Segundo ele, a comunidade teria vivido ali por mais de duzentos anos, entre 150 a.C. e 68 d.C. As moedas e alguns dos utensílios demonstram que Quram não era uma comunidade isolada. De fato, autores antigos como Plínio, o Velho, e Filo confirmam que os Essênios estavam presentes não só em Quram, mas também na Judeia e por todos os oásis do Mar Morto. Ainda hoje estão sendo feitas escavações no sítio.

A palavra "essênio" não é mencionada nenhuma vez nos pergaminhos do Mar Morto. No entanto, os argumentos que confirmam a tese de que a comunidade mista de Quram era de essênios estão na divisão dos três grupos do judaísmo, referidos nas escrituras de Quram: Efraim, Menassés e Judá, que corresponde aos fariseus, saduceus e essênios. Como a comunidade de Quram se referia a si mesma como Judá, os estudiosos concluíram que eles eram, de fato, essênios.

Ruínas de Quram

Três Grupos

Acredita-se que a seita de Quram foi originada pelos círculos religiosos contrários à expansão e influência do helenismo preocupados com a crescente difusão da cultura grega, que lutaram para se manterem fiéis à Torá. O historiador judeu do século 1 d.C., Flávio Josefo, relata que os judeus da época do segundo templo se dividiam em três grupos: os saduceus, os fariseus e os essênios. Os saduceus incluíam, principalmente, as principais famílias sacerdotais e aristocráticas. Os fariseus constituíam os círculos laicos e os essênios eram um grupo de isolacionistas, que acabou formando uma comunidade monástica ascética que se isolou no deserto.

Os estudiosos acreditam que a crise que levou os essênios ao isolamento do judaísmo aconteceu quando os príncipes macabeus – Jonatas (160 – 142 a.C.) e Simão (142 – 134 a.C.) – usurparam o ofício do sumo sacerdote. Isso consternou sobremaneira os judeus conservadores. Muitos não toleraram o sacrilégio e denunciaram os governantes. O resultado foi uma perseguição aos essênios e ao seu líder, o Mestre da Justiça – o que provavelmente acabou influenciando as visões apocalípticas da seita. Elas profetizavam a ruína do "sacerdote perverso" de Jerusalém e prenunciavam o início de uma era messiânica, quando a comunidade seria finalmente reconhecida como os verdadeiros israelitas. Assim, esses judeus se isolaram no deserto, buscando se separarem dos "homens perversos".

Refeições Comunais

Um dos aspectos mais importantes da comunidade de Quram eram as refeições comunais, derivadas de pães e bebidas feitas com uva, conforme aponta o livro *Regras da Comunidade* – um texto encontrado entre os pergaminhos do Mar morto. Era um dos principais eventos diários da comunidade. O historiador Flávio Josefo confirma o papel central deste procedimento entre os essênios, escrevendo que eles iam ao refeitório "como se estivessem indo ao santuário". As refeições eram realizadas duas vezes ao dia e tinham todas as características de um rito sagrado. Acredita-se que essa cerimônia foi modelada nas refeições rituais que aconteciam no Templo de Jerusalém.

A alimentação da comunidade se constituía basicamente de pão molhado em vinagre de vinho e sopa de vegetais, em geral, lentilhas. Os arqueólogos também escavaram restos de ossos carbonizados depositados nos espaços ao redor dos edifícios. Isso demonstra que os habitantes de Quram também comiam carne de ovelhas, cabras e gado. De acordo com as rigorosas leis de pureza de sacrifício, a carne era cozida em água ou assada em espetos. Outras evidências arqueológicas revelam que a dieta dos essênios também incluía tâmaras e produtos lácteos. A principal bebida da comunidade era o *tirosh,* ou "vinho novo". Esse vinho, feito com suco recém-prensado, tinha um teor alcoólico muito menor do que o vinho comum, submetido a um processo de fermentação mais longo. Esses achados estabelecem de forma clara a importância ritual das refeições comunais da seita de Quram e as práticas posteriores das comunidades monásticas cristãs.

De fato, a reunião comunal, as preces antes e depois das refeições, a benção sobre a comida e o silêncio enquanto se come são elementos presentes até hoje nessas comunidades. Alguns estudiosos sustentam que a posição central do pão e do vinho prenuncia elementos encontrados na descrição da Santa Ceia do Novo Testamento. Além disso, a ordem da benção, primeiro do pão e depois do vinho, conforme prescrito nas regras da comunidade, é inversa à tradição judaica, mas igual às descrições dos Evangelhos de Mateus, Marcos e Lucas sobre a Última Ceia de Jesus.

A Cabala

A cabala surgiu "oficialmente" por volta de 1200, na região de Provença, no sudeste da França. A partir de então, os cabalistas usaram muitos nomes para eles mesmos e para o conhecimento que manipulavam. Na Espanha e na Provença, seus praticantes a chamavam de "sabedoria interior" e a si mesmos de "seres que compreendiam", "mestres do conhecimento", ou "mestres do serviço", pois diziam conhecer a verdade interior de servir a Deus. Por volta do século 14,

Judaísmo

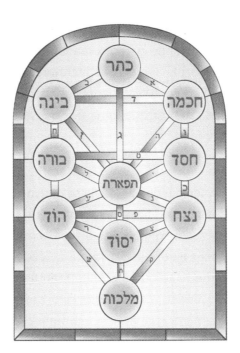

A Árvore da Vida da Cabala

porém, o movimento místico já era chamado pelos seus praticantes pelo seu nome definitivo. A palavra "cabala" significa, literalmente, "tradição", mas pode ser também traduzida como "recebimento" ou "ensinamentos transmitidos" – uma referência à milenar tradição oral que tinha preservado e divulgado esse conhecimento.

No entanto, muitos cabalistas negam o desenvolvimento histórico da Cabala. De acordo com Gershom Scholem, no seu livro *Origins of the Kabbalah*, os cabalistas "entendiam esse conhecimento como uma espécie de revelação primordial que tinha sido concedida a Adão e que perdurou, embora novas revelações fossem feitas de tempos em tempos, particularmente quando a tradição era esquecida ou interrompida".

Outras Hipóteses

Muitos estudiosos apresentam hipóteses alternativas. A primeira delas sustenta que a Cabala foi criada no século 12 ou 13, como uma reação ao racionalismo da filosofia judaica – aquele segundo caminho da busca religiosa. Isaac, o Cego, o primeiro autor cabalístico identificável, dizia que o próprio profeta Elias tinha revelado segredos místicos aos cabalistas medievais. A segunda hipótese afirma que a Cabala se originou no mundo greco-romano e foi passada oralmente de geração em geração, até aparecer na literatura judaica pela primeira vez, na Idade Média. Seja como for, identificar a origem exata da Cabala é, segundo Scholem, "sem dúvida, uma das questões mais difíceis da história da religião judaica".

Corrente Mística

O que se sabe ao certo é que a Cabala se derivou de certos tipos de misticismo judaico e não judaicos, sem ser uma simples continuação dessas tradições. Mas sem sombra de dúvidas, o misticismo Merkabah foi a corrente que mais ajudou a dar forma à Cabala. Seus seguidores buscavam reproduzir a visão que o profeta Ezequiel teve do Merkabah – o Carro ou Trono Divino. O episódio está descrito na Bíblia. Em Ezequiel 1, o profeta narra sua visão como uma grande nuvem "com

Afresco do profeta Ezequiel na Basilica di Santo Agostino, Roma, por Pietro Gagliardi

um fogo a revolver-se". Da nuvem saíam quatro seres, semelhantes a homens, mas com quatro asas cada um deles. Dentro da nuvem estava o carro de Deus, enorme, brilhante, com grandes rodas que pareciam feitas de topázio. As criaturas aladas permaneciam ao lado das rodas. Acima delas, uma abóbada celeste, que brilhava como cristal, sustentava um trono de safira, onde estava Deus.

A imagem representa, realmente, o objetivo do místico: a experiência direta com Deus e a consequente união com Ele. Segundo um dos seguidores dessa seita, Merkabah Sheleman, durante a experiência mística, "o mundo à minha volta transformou-se em pureza e meu coração sentiu-se como se eu tivesse entrado num mundo novo". Para os Merkabah, Ezequiel adquiriu o conhecimento místico porque a integridade da sua alma, a correção das suas ações e o brilho do seu espírito o distinguiam dos outros homens. Essa visão veio a permear os princípios da Cabala e fez dela uma verdadeira evolução dentro do judaísmo.

Ideias Revolucionárias

Algumas das ideias apresentadas pela Cabala eram realmente revolucionárias. Uma das mais importantes inovações dessa tradição foi dar à Torá – o livro das Leis Mosaicas, também chamado de Pentateuco – uma interpretação completamente esotérica. Os cabalistas afirmavam que Deus revelou as verdades sobre Ele mesmo e sobre o Universo através da Torá.

Os rabinos ortodoxos se concentravam no relacionamento dos homens e das mulheres com Deus, bem como no cumprimento dos mandamentos estabelecidos nas Escrituras. Como seguidores dos dois primeiros "caminhos" para se conseguir o re-ligare, eles não tentavam explorar a natureza divina. Os cabalistas acreditam que a meta da alma é se lembrar da suprema percepção que conheceu quando "habitava nas alturas do Céu". Essa crença remete à filosofia dos antigos gregos. Platão também acreditava que a alma, antes de encarnar, toma conhecimento da realidade divina da qual faz parte. E é por isso que, neste mundo, ela sempre busca o bom, o belo e o verdadeiro: a essência de Deus e de todas as suas criaturas, da qual ela se lembra. Dessa forma, a alma se une de novo com Deus. E para os cabalistas, o jeito de se fazer isso é através da ciência do misticismo – a Cabala.

Os Primeiros Cabalistas

O rabi Moisés de Leão (c. 1240 – 1305), uma das figuras mais importantes no desenvolvimento da Cabala, é autor do Zohar, o primeiro livro que delineou claramente o pensamento cabalístico. Escrito no século 13, o Zohar é um compêndio de todo o conhecimento da Cabala que havia até então. Muitos estudiosos acreditam, porém, que Moisés de Leão – tido como o primeiro gênio místico cabalístico – foi um canal de fontes mais antigas e elevadas. O rabino Arthur Green, por exemplo, sustenta que "seria razoável acreditar que Leão tenha se sentido possuído por um espírito que não o seu, quando estava escrevendo o livro". Daniel Matt, professor de estudos judaicos da Graduate Theological Union (EUA), concorda. Para Matt, "certas passagens do Zohar são anônimas e aparecem como declarações de uma voz celestial".

Entre 1500 e 1800, o Zohar se estabeleceu como uma fonte de doutrina e revelação de autoridade igual à da Bíblia e à do Talmude – o conjunto de textos reconhecidos pela tradição judaica – e acabou sendo aceito no cânon dos textos ortodoxos.

Luria

Isaac Luria (1534 – 1572) é considerado o segundo gênio místico da Cabala. Como não podia deixar de ser, a história da sua vida é permeada de lendas. Uma delas diz que o pai de Luria sonhou com o profeta Elias profetizando que ele teria um filho, o qual revelaria os segredos da Cabala.

A família vivia em Jerusalém, onde Luria nasceu, mas se mudou para o Cairo, no Egito, após a morte do pai do menino, quando ele tinha oito anos. No Egito, Luria foi reconhecido como um garoto prodígio por causa da maneira como absorvia o conhecimento do Talmude.

Durante a adolescência, Luria iniciou um estudo do Zohar que durou oito anos. Mas não apenas estudou o Zohar. Mais do que isso: ele se tornou um místico de fato, abraçando o ascetismo. Durante o tempo do seu estudo, ele viveu numa pequena casa isolada, próxima do Nilo. Lá, o cabalista ficava cinco dias por semana, meditando e estudando o Zohar, só voltando para a cidade uma vez por semana, para celebrar o Sabat e se reunir com a família. Segundo a lenda, depois de Luria ter passado dois anos estudando, orando e jejuando, o profeta Elias apareceu para ele e o iniciou nos mais profundos segredos da Cabala. Não só isso: Elias também teria dado instruções para que Luria divulgasse esse conhecimento místico.

Seguindo as orientações do profeta, Luria foi para Safed, na Palestina. A cidade era um centro místico, uma espécie de oásis espiritual judaico onde viviam os principais cabalistas da época. E não demorou muito para que Luria fosse reconhecido por eles como seu mestre. Luria desvelou a chave da ciência mística para seus discípulos, durante os dois anos que lecionou em Safed. Morreu jovem e subitamente aos 38 anos. Mesmo tendo tido tão pouco tempo para divulgar os conhecimentos que adquirira, deixou uma marca profunda na tradição da Cabala. Apesar de ter escrito quase nada, os textos dos seus seguidores somam milhares de páginas.

Os ensinamentos de Luria se constituem de intrincadas visões teológicas, orações e meditações. Incentivou, também, seus discípulos a cultivar certas qualidades espirituais. A principal era a alegria. Além disso, não deveriam ceder ao pecado da ira. Luria dizia que, enquanto outros pecados fazem mal a partes da alma, a ira prejudica a alma inteira. Na busca da união do "eu" individual ao "Eu" universal, a ira "afasta o mais alto nível da alma da pessoa", ensinava o rabi.

A Árvore da Vida

Quem é Deus? Como conhecê-lo? Como compreendê-lo com a nossa consciência? Não somos capazes de racionalizar Deus. Tampouco de apreender Deus com o nosso conhecimento. Por isso mesmo, os cabalistas se referem a Ele como o Indescritível, ou o Infinito: Ein Sof.

A explicação que os cabalistas dão para o fato de Ein Sof estar além da nossa compreensão é tão simples quanto lógica. Para eles, a mente finita não pode conter o infinito. Assim, Ein Sof é descrita no Zohar como "a causa acima de todas as causas", "a raiz de todas as raízes", a "Vontade Primeva". Ein Sof revela a si mesmo por meio de dez aspectos, ou sefirot – esferas que Dele emanaram. As sefirot formam o padrão para a interação entre Deus e o homem. Baseados nessa ideia, os cabalistas criaram um modelo, um mapa, desse padrão conforme ele desce de Ein Sof, a Árvore da Vida.

Deus Oculto

Um místico judeu disse que "Ein Sof, o Deus oculto, que habita nas profundezas do Seu próprio Ser, busca se revelar e liberar os seus poderes ocultos. A Sua vontade se realiza por meio da emanação dos raios da Sua luz, dispostos na ordem das sefirot, o mundo da emanação divina". Já o Zohar descreve as sefirot como atributos de Deus, ou como representações por meio das quais Deus revela a Si mesmo. O rabi Moisés Luzzatto, um cabalista do século 18, explicou que "as dez sefirot atuam como "véus" – dez estágios que o Criador

A Cabala encerra o conhecimento místico do judaísmo

produziu para servirem de canais, através dos quais a Sua abundância pudesse ser transmitida ao homem. Ele fez dez receptáculos para que a abundância, ao atravessá-los, ficasse densa o bastante para que as criaturas inferiores pudessem suportá-la". Dessa forma, as sefirot seriam uma espécie de transformadores cósmicos que diminuem a intensidade da luz de Ein Sof. Outros entendem, ainda, que elas são uma ponte que liga o Universo finito ao Deus infinito.

Os cabalistas usam muitas imagens para as sefirot (o singular é sefirah). São luzes, nomes, estágios, coroas, espelhos, pilares, poderes, portais ou faces de Deus. Não há, de qualquer forma, um acordo tácito sobre a origem do termo "sefirot". Alguns dizem que a palavra vem do hebraico *sappir*, ou "luz brilhante", uma vez que elas nos "iluminam" a respeito de Deus. Outros sustentam que sefirot deriva de *saper*, ou "dizer", pois nos falam de Deus. Da mesma forma, há correntes diferentes sobre o relacionamento do Ein Sof com as sefirot. Para alguns cabalistas, elas são os instrumentos que Ein Sof criou para realizar sua busca. Para outros, elas são a essência do Ein Sof, idênticas a Ele e que não podem ser separadas Dele. Uma terceira corrente – a mais aceita – concilia as duas anteriores, afirmando que as sefirot são instrumentos e, ao mesmo tempo, a essência de Deus.

Uma a uma, as sefirot vão se desdobrando de Ein Sof. De início, surge uma centelha, da qual irrompe uma fonte de "aura etérica", a primeira sefirah: Keter, ou Coroa. Keter, então, gera a segunda sefirah, Hokhmah, a Sabedoria, de vibração mais baixa do que Keter. A seguir, a Sabedoria cria a terceira sefirah: Binah, a Compreensão. As sete sefirot restantes estão no seio de Binah, "como um embrião está no ventre da mãe", que são emanadas em seguida: Hesed (Amor/Misericórdia), Gevurah (Justiça/Julgamento), Tiferet (Beleza/Compaixão), Netzah (Vitória), Hod (Esplendor/Majestade), Yesod (Fundação) e Malkhut, o Reino, também chamado de Shekhinah, ou Divina Presença, o aspecto Feminino de Deus. Essas sefirot formariam uma cadeia através da qual fluem as forças de Deus. A última sefirah da cadeia, Malkhut/Shekhinah, canaliza a energia divina para o nosso mundo.

As Sefirot

Os cabalistas agrupam as sefirot em três colunas dentro a Árvore da Vida. A coluna do lado direito, formada por Hokhmah, Hesed e Netzah, tem polaridade masculina e positiva. A coluna à esquerda, composta por Binah, Gevurah e Hod, é feminina e negativa. A coluna central, Keter no alto, Tiferet no centro, Yesod e Malkhut embaixo. A coluna da direita é chamada de "Pilar do Julgamento" e encarna a força de expansão. A da esquerda, o "Pilar da Misericórdia", é oposta ao Pilar do Julgamento e encarna a força da restrição. A coluna do meio, o "Pilar da Compaixão" equilibra as outras duas. A compaixão, ensinam os místicos judeus, é o elemento que harmoniza os extremos da misericórdia e do julgamento e que sustenta o mundo.

Outra forma que os cabalistas agrupam as sefirot na Árvore da Vida é dividindo-as em três tríades, cada uma representando um único aspecto do Ein Sof. A primeira tríade é formada por Keter, Hokhmah e Binah e representa o processo de pensamento de Deus.

Keter, a Coroa, é a mais alta sefirah da Árvore da Vida. É idêntica ao Ein Sof. Como Ele, foi concebida como Vontade. E por causa da sua proximidade com o Ein Sof, muitos cabalistas afirmam que Keter não pode ser conhecida. Keter é o veículo catalisador de todo o ser, mas ainda não é uma coisa por si mesma.

Hokhmah, a Sabedoria, é o primeiro ponto da criação, surgido de um ato de vontade de Ein Sof e Keter. Embora Hokhnah seja a segunda sefirah, os cabalistas a chamam de "começo", pois Keter, a primeira, é eterna e não tem princípio. Segundo o Zohar, Hokhnah é o Pensamento Divino e contém o padrão de toda a criação.

Binah, Compreensão, está no alto do Pilar do Julgamento e controla a natureza expansiva de Hokhmah. Além de "compreensão", binah é uma palavra que pode ter sentidos diferentes, como "inteligência", "intuição" ou "discernimento". Enquanto Hokhmah é masculino e ativo, Binah é feminina, chamada de mãe ou Imma. Hokhmah e Binah são, portanto, os pais originais. Juntos, eles criam as sete sefirot inferiores e, então, toda a criação.

Hesed, a quarta sefirah, é geralmente traduzida como "amor" ou "misericórdia", mas também pode ter o sentido de "graça" ou "bondade amorosa". Os cabalistas a colocaram no alto do Pilar da Misericórdia e, às vezes, em vez de Hesed, a chamam de Gedullah, ou Grandeza.

Gevurah, o nome da quinta sefirah, significa "poder", "força", "julgamento" ou "severidade". É frequentemente chamada de Din, "julgamento" ou "justiça". Essa sefirah se localiza no centro do pilar que tem seu nome, o Pilar do Julgamento. Junto a Hased, Gevurah governa o nível da emoção. Enquanto Hesed tende a emanar e a expandir sem limites a essência de Ein Sof, Gevurah faz o oposto, limitando a bondade divina. A união desses dois poderes gera a Beleza (Tiferet), que exprime tudo o que está harmoniosamente equilibrado.

Tiferet, a Beleza, está no centro da Árvore da Vida, no Pilar da Compaixão, outro nome de Tiferet. Essa sefirah, que representa integridade e equilíbrio, é o mediador que harmoniza os extremos da Misericórdia e do Julgamento. Na árvore da Vida, Tiferet é o Coração dos Corações; na psique humana, é o Eu, o núcleo do indivíduo. Também chamada de "Céu", "Sol", "Rei", Tiferet é igualmente entendida pelos cabalistas como "o Filho".

Netzah, a sétima sefirah, está na base do Pilar da Misericórdia. A palavra hebraica significa "vitória" ou "triunfo", mas também é traduzida como "resistência". É uma manifestação mais densa de Hesed, a sefirah do Amor/Misericórdia.

Hod, Esplendor ou Majestade, é a oitava sefirah, colocada na base do Pilar da Justiça. É uma manifestação mais baixa de Gevurah – Justiça/Julgamento. Os cabalistas dizem que Netzah e Hod são os instrumentos por meio dos quais Deus governa o mundo. Essas sefirot são, também, fonte de profecia e regem os níveis de ação operacional e instrumental.

Yesod, a nona sefirah, significa "Fundação". Fica no Pilar do Meio, entre Tiferet e Malkhut – entre o Filho e a Mãe. Alguns cabalistas a chamam de Yesod Olam, a "Fundação do Mundo", e a entendem como a força procriadora da vida do Universo, através da qual a luz e o poder das sefirot anteriores são canalizados para a última sefirah, Malkhut.

Malkhut, a base do Pilar da Compaixão e da Árvore da Vida, representa o universo físico. A palavra hebraica quer dizer "reino", termo que se refere ao domínio ou poder de Deus no mundo. Em relação aos seres humanos, Malkhut corresponde ao corpo. Essa sefirah é o canal através do qual a força divina das sefirot flui para este mundo e é também a porta através da qual buscamos alcançar Deus.

Diáspora e Perseguições

Desde que Jerusalém foi destruída pelos romanos, em 70 d.C., os judeus foram expulsos da Palestina e passaram a viver na Diáspora, ou exílio. Mas, na verdade, eles nunca se fundiram às novas terras onde foram morar. Mesmo depois de gerações e gerações terem vivido num mesmo país, os judeus continuavam estranhos às culturas que os cercavam. Fechados ao redor de si mesmos e dos seus costumes e crenças, não demorou muito para que fossem perseguidos. Assim, todo tipo de preconceito foi direcionado contra eles. Eram acusados de terem assassinado Jesus, e o costume de manchar a porta das suas casas com o sangue do cordeiro sacrifical na Páscoa levou seus perseguidores a acreditarem que, em vez de carneiro, os judeus sacrificavam crianças.

Judeus ortodoxos durante o feriado de Sucot

Há relatos da Idade Média sobre aldeias judaicas pilhadas e destruídas porque uma criança cristã havia desaparecido. A perseguição era fato, e não havia muito a fazer, a não ser nutrir esperanças.

O Sionismo

Durante milhares de anos, os judeus esperaram pela vinda do Messias, que os levaria de volta à sua terra ancestral – o Sião. Isso deveria ser um evento miraculosamente pré-determinado, o qual iniciaria a era messiânica. No entanto, no começo do século 19, emergiu entre os círculos religiosos ortodoxos uma nova tendência. Vários escritores judeus afirmavam que, em lugar de adotar uma atitude passiva frente ao problema da redenção, a nação judaica deveria se engajar na construção de um país, antecipando a vinda do Messias. Mais uma vez, os judeus buscavam na ação a confirmação da sua fé. Esse movimento dentro do judaísmo, que além do cunho religioso tinha uma característica tremendamente política, veio a ser chamado de sionismo.

Palestina

Em 1834, Yehuda hai Alkalai, um rabino que tinha vivido na Palestina, publicou um livreto chamado *Shemá Israel*, no qual defendia o estabelecimento de colônias judaicas na Palestina, uma visão que fugia da crença tradicional de que o Messias viria como um ato de redenção divina. As ideias de Alkalai se espalharam e se desenvolveram ao longo de todo o século 19. Mas não foram apenas suas propostas que tomaram corpo – a colonização judaica da Palestina foi, aos poucos, tornando-se fato. E, no final do século 19, com o aumento das perseguições aos judeus nos pogroms russos, o crescimento da população judaica na Palestina já preocupava os nativos árabes. Com a expansão da imigração dos judeus e a pressão que as autoridades sionistas colocavam nas potências mundiais para a criação de um Estado judaico na Terra Santa, os árabes palestinos se viram ameaçados e começaram a se revoltar contra a imigração judaica, buscando influenciar as autoridades otomanas, que, na época, governavam a Palestina. O conflito continuou sem solução. Os turcos otomanos, os administradores do império que controlavam a região, tinham consciência de que não podiam privilegiar uma etnia em detrimento de outra.

Conflitos

Depois da Primeira Guerra Mundial, a Palestina passou a ser controlada pelos britânicos, que, em troca da ajuda recebida do povo judaico durante a luta contra as potências do Eixo, prometeram, através da Declaração Balfour, ajudar os judeus a estabelecer sua pátria na Palestina. Foram, porém, taxativos: isso jamais poderia prejudicar os palestinos árabes. Mas a Declaração Balfour incendiou o já volátil ânimo dos palestinos. Os conflitos recomeçaram. Os judeus, a minoria, armaram-se. A Grã-Bretanha buscava, inutilmente, conciliar as duas partes.

Perseguição

Com a ascensão dos nazistas na Alemanha, em 1933, os judeus daquele país começaram a ser marcados e perseguidos. Percebendo o perigo que o nazismo representava aos judeus europeus, o movimento sionista buscou ainda mais desesperadamente liberar a imigração à Palestina. Ante a iminência da Segunda Guerra Mundial, apoiaram os britânicos, esperando receber simpatia pela sua causa. No final, porém, perceberam que estavam por conta própria.

O Holocausto

O Holocausto, a tentativa de exterminação de grupos considerados indesejados pelos nazistas alemães durante o Terceiro Reich, foi, sem dúvida, a maior barbárie planejada e cometida nos tempos modernos. As vítimas foram principalmente os judeus e poloneses (massacrados em número quase igual ao dos judeus), mas também comunistas, homossexuais, ciganos, deficientes motores, atrasados mentais, pacientes psiquiátricos, prisioneiros de guerra soviéticos e de outros grupos eslavos, ativistas políticos, religiosos e criminosos.

Em 18 de maio de 1940, o campo de concentração Auschwitz foi aberto e, em seguida, convertido em campo de extermínio. Em dezembro de 1941, Hitler já tinha decidido exterminar literalmente os judeus, os poloneses, os soviéticos e minorias indesejadas da Europa. Em Janeiro de 1942, durante a Conferência de Wannsee, vários líderes nazistas discutiram os detalhes da "Solução Final da questão judaica". E os massacres em massa começaram na Europa Oriental. Os nazistas iniciaram a deportação sistemática das populações de Judeus dos guetos, onde os haviam confinado em todos os territórios ocupados, para os sete campos designados como Vernichtungslager, ou campos de extermínio: Auschwitz, Belzec, Chelmno, Majdanek, Maly Trostenets, Sobibor e Treblinka II. O Holocausto foi levado a cabo metodicamente em, virtualmente, cada centímetro do território ocupado pelos nazistas. Os judeus e outras vítimas foram perseguidos e assassinados num espaço onde hoje existem 35 nações europeias.

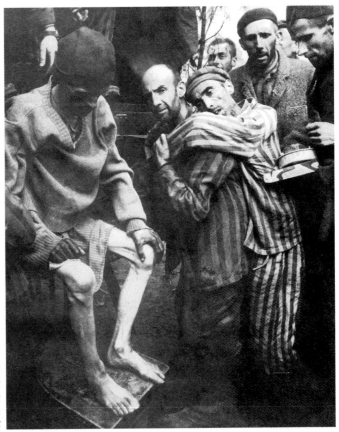

Prisioneiros do campo de concentração de Wöbbelin, em maio de 1945

Nos Campos de Extermínio, os aptos fisicamente eram selecionados para trabalhar nas fábricas. Os outros eram mortos ora em furgões de gás, ora através de envenenamento por monóxido de carbono. Depois de assassinados, as obturações em ouro eram retiradas dos cadáveres. Até os cabelos das vítimas eram aproveitados para uso industrial. As mulheres, principalmente, tinham suas cabeças raspadas antes de entrarem nas câmaras de gás, e os cabelos eram aproveitados em produtos como tapetes e meias. Além disso, os nazistas realizaram experiências pseudocientíficas com os judeus, usando-os como cobaias.

Seleção e separação de prisioneiros no campo de Auschwitz-Birkenau, em 1944

Vítimas

O número exato de pessoas exterminadas nos campos nazistas é impreciso, mas a seguinte estatística é a que melhor espelha a realidade:

- Entre 5,6 e 6,1 milhões de judeus (dos quais 3,0 – 3,5 milhões de judeus poloneses)
- De 2,5 a 3,5 milhões de poloneses não judeus
- Entre 3,5 a 6 milhões de civis eslavos
- De 2,5 a 4 milhões de prisioneiros de guerra soviéticos
- De 1 a 1,5 milhão de dissidentes políticos
- 200.000 a 300.000 deficientes
- 10.000 a 25.000 homossexuais
- Cerca de 2.000 Testemunhas de Jeová

O Judeu Combatente

Depois da Segunda Guerra, o Reino Unido não apoiou os judeus na fundação de sua pátria. Além disso, a experiência do Holocausto modificou profundamente o caráter judeu. A impensável chacina promovida por Hitler fez nascer o que Menachem Begin, o líder do Irgun, a milícia judaica, chamou de "o judeu combatente". Devido à proibição da imigração à Palestina, nem mesmo os refugiados que tinham sobrevivido aos campos de extermínio puderam entrar no país. Cansados de esperar que as potências estrangeiras interviessem a favor da sua causa e ainda mais conscientes da necessidade de se construir uma pátria judaica que pusesse um fim às perseguições históricas, os sionistas se voltaram ao terrorismo para conseguirem fundar seu país.

Israel

Os grupos armados judaicos – o Irgun e a Gangue Stern – engajaram-se numa atividade terrorista contra o governo britânico na Palestina, semelhante àquela usada hoje por grupos palestinos radicais contra Israel. Em 1946, um atentado à bomba destruiu o Hotel Rei Davi, em Jerusalém, vitimando civis e militares. Como parte das atividades terroristas do Irgun, oficiais britânicos e diplomatas foram raptados e assassinados, e em 9 de abril de 1948, um ramo do Irgun liderado por Manachem Begin chacinou homens, mulheres e crianças árabes no vilarejo Deir Yassin, espalhando pânico na região. A ideia era aterrorizar os árabes, propósito no qual foram bem-sucedidos. Aldeias inteiras fugiram temendo sofrer o mesmo destino. O clima de tensão criado pelos terroristas judeus era tal que a Grã-Bretanha resolveu desistir de sustentar um conflito praticamente insolúvel e antecipou sua retirada da Palestina. Logo depois do fim do Mandato Britânico, David Ben-Gurion declarou a fundação do Estado de Israel, em 14 de maio de 1948.

Budismo

Iluminação

O budismo foi fundado em cerca de 500 a.C. quando Sidarta Gautama, que tinha nascido um nobre *xátria* – a casta dos guerreiros e governantes –, atingiu a iluminação. Gautama não foi o primeiro Buda, ou "O Iluminado". Foi o quarto e, possivelmente, nem de perto, o último. O budismo prega que a iluminação é a meta de todas as criaturas. Assim, todos, algum dia, finalmente atingirão a iluminação.

A doutrina do Buda se baseia no Caminho do Meio, a busca da moderação em tudo o que se faz.

Sidarta

Sidarta Gautama nasceu em 536 a.C., onde hoje é o Nepal.

Imagem de Buda, o fundador do budismo

Segundo as previsões feitas por magos e astrônomos, ele era um predestinado. No entanto, seu destino era ambíguo. Os videntes disseram a seu pai, um rei do clã guerreiro dos *Sakyas*, que Sidarta poderia ser um *Chakravartin* ("aquele que faz girar a roda"), isto é, um "Rei Universal", ou, caso renunciasse ao mundo, ele poderia se tornar o redentor de toda a Terra. O pai de Sidarta decidiu orientar o destino do filho para ser Rei Universal.

Cercando Sidarta de luxos, ele não permitia que o príncipe se afastasse dos prazeres da corte. O rei não poupou esforços para manter Sidarta ligado ao mundo. Três palácios e quarenta mil dançarinas foram colocados à sua disposição, e ordens estritas foram dadas para que o príncipe não tivesse contato com a doença, a decrepitude e a morte. O rei teve sucesso por um tempo, mas não conseguiu impedi-lo de, aos vinte e nove anos, encontrar sucessivamente um velho, um moribundo e um cadáver.

A experiência o fez perceber a evanescência das coisas materiais e a buscar a verdade por trás da ilusão do mundo. Sidarta desistiu da vida de príncipe e foi atrás da sua iluminação.

Depois de anos de mortificação, quando adquiriu controle sobre a vontade, Sidarta devotou-se a combinar o rigor do pensamento com a profunda concentração.

Numa noite de lua cheia do mês de maio, em Gaya, no nordeste da Índia, Sidarta sentou-se debaixo de uma figueira, que veio a ser conhecida como Árvore Bo (abreviação de *bodhi*, "iluminação"), e passou a noite em profunda meditação. Quando o sol nasceu, ele tinha vencido o medo da morte e os desejos carnais, visto todas as suas vidas pregressas e se fundido ao Cosmos. Seu ser havia se transformado. Sidarta emergia como o Buda.

Quem foi Buda?

Conta uma antiga lenda que as pessoas iam procurar o Buda e, admiradas, frequentemente perguntavam: o que é você? Não quem é você, mas o quê.

"Você é um deus?", perguntavam.
"Não."
"Um anjo?"
"Não."
"Um santo?"
"Não."
"Então, o que é você?"
E o Buda respondia:
"Sou aquele que despertou."

Sua resposta acabou se tornando seu título, pois a raiz sânscrita *budh* denota tanto "despertar" quanto "saber".

As Quatro Nobres Verdades

A visão de mundo que Gautama obteve o transe meditativo que o levou a atingir o nirvana é o centro da sua filosofia. O Buda a chamou de "As Quatro Nobres Verdades" – segundo ele, a realidade do Universo. A primeira nobre verdade é que a vida é sofrimento. A segunda é que esse sofrimento se origina do desejo.

A terceira verdade é que a ilusão que permeia o mundo não deixa que nos libertemos desse desejo. A última nobre verdade é, na realidade, a cura para os três males anteriores. Ela diz que a maneira para se encontrar a trilha que leva à iluminação é o Caminho Óctuplo, uma série de preceitos morais e filosóficos que levariam o fiel a anular seu carma e atingir a iluminação.

O Caminho Óctuplo

O Caminho Óctuplo do Buda, sua Quarta Nobre Verdade, descreve a trilha para a salvação. São oito categorias da "Correta" ação: Correto Falar, Correta Ação, Correta Profissão, Correta Concentração, Correto Esforço, Correta Atenção, Correta Compreensão e Correto Pensamento. O Buda ensinava que a prática dessas virtudes nos conduz à salvação.

Nirvana

Nirvana é a palavra que o Buda usava para chamar o objetivo da vida, conforme ele entendia. Segundo o estudioso das religiões Huston Smith, etimologicamente, quer dizer "apagar", ou "extinguir", não transitivamente, mas como um fogo que para

Estátuas de Budas em meditação

de arder. Sem combustível, o fogo se apaga e isso é o nirvana. O nirvana é o mais alto destino do espírito humano e seu sentido literal é "extinção", mas o que deve ser extinto são os limites do eu finito e os três venenos que alimentam esse eu: a extinção da ganância, a extinção da raiva, a extinção da desilusão, isso é o Nirvana. O nirvana é permanente, estável, imperecível, imóvel, sem idade, imortal, que ainda não nasceu, que ainda não veio a ser; é poder, bem-aventurança e felicidade, o refúgio seguro, o abrigo e o lugar de segurança inexpugnável; é a Verdade real e a Realidade suprema; é o Bem, a meta suprema e a primeira e única realização da nossa vida, a Paz eterna, oculta e incompreensível.

Anatta e Carma

A coisa mais surpreendente que o Buda disse sobre o eu humano é que ele não tem alma. Esse é o conceito da doutrina do *anatta*, literalmente, "não eu", isto é, identidade pessoal não duradoura, imutável. O Buda negava a substância espiritual – a alma como o homúnculo, uma aparição fantasmagórica dentro do corpo que o anima e sobrevive a ele. Contudo, o Buda não duvidava de que a reencarnação fosse, de qualquer forma, um fato, mas ele era abertamente crítico quanto à maneira como seus contemporâneos brâmanes interpretavam o conceito. O ponto crucial da sua crítica pode ser visto na claríssima descrição que deu da sua própria visão sobre esse assunto. Ele usou a imagem de uma chama sendo passada de vela para vela. Como é difícil de se pensar na chama da última vela como sendo a chama original, a ligação pareceria ser causal, na qual a influência foi transmitida numa reação em cadeia, mas sem uma substância que perdurasse. Quando acrescentamos a essa imagem da chama a aceitação que o Buda tinha do carma, temos o âmago do que ele disse sobre transmigração. Um resumo do seu ponto de vista seria mais ou menos o seguinte: 1. Há uma cadeia de causas ligando todas as vidas que levaram à presente e àquelas que virão. Cada vida está na condição em que se encontra por causa da maneira como foram vividas as vidas que conduziram a ela. 2. Por toda essa sequência causal, a vontade retém pelo menos um pouco de liberdade. As leis que controlam as coisas fazem do presente estado um produto de ações anteriores; mas, em cada momento presente, a vontade, embora profundamente influenciada, não está totalmente controlada. As pessoas podem moldar seus destinos e, ao fazerem isso, descobrem uma liberdade ainda maior. 3. Os dois pontos precedentes afirmam o encadeamento causal da vida, mas não acarretam necessariamente que uma substância de qualquer tipo seja transmitida.

Três Veículos

O Buda nunca escreveu seus ensinamentos, e, ao longo do tempo, duas escolas principais acabaram se desenvolvendo. Cerca de cem anos depois da morte do Buda, houve uma cisão entre seus seguidores segundo a interpretação que faziam dos ensinamentos do mestre. Eles se dividiram em dois grupos. O primeiro insistia que a salvação era uma tarefa em tempo integral. Aqueles que tinham eleito o nirvana como seu objetivo central deveriam desistir do mundo e se tornar monges, como o próprio Buda fizera. Para eles, a iluminação era para uns poucos. O segundo grupo, porém, não depositou todas as suas esperanças no esforço pessoal. Acreditava que a perspectiva do budismo era tão relevante para o leigo como para o monge. Podia, portanto, ser aplicado tanto no mundo como no mosteiro. Os dois grupos vieram a se chamar *Yanas*, isto é, "barcos", pois ambos afirmavam que levavam as pessoas através do mar da vida até as praias da iluminação. O segundo grupo, porém, contava com a ajuda cósmica, ou seja, da graça universal. Além disso, entendia o budismo como uma religião para as massas. Assim veio a se chamar de *Mahayana* – "a grande balsa", pois conduzia um grande número de pessoas ao nirvana. O outro grupo veio a ser chamado de *Hinayana*, ou "pequena balsa". No entanto, não concordando com o nome, o último grupo veio a se autodenominar *Theravada*, isto é, "o caminho dos anciões", ou ainda, "pequeno veículo". O budismo theravada sustenta que o caminho para o nirvana, o estado de

Monge da escola Shingon do budismo japonês

iluminação, é uma busca individual. Uma terceira escola acabou se desenvolvendo com uma forte influência hindu e tântrica. É o budismo *Vajrayana*, ou tibetano, que tem sua prática enraizada na região de Ladakh, o Tibete indiano.

Zen-Budismo

O zen é um estilo de budismo primariamente japonês. Zen é a tradução japonesa da palavra chinesa *ch'an*, uma das correntes do budismo chinês. Como as outras seitas mahayanas, o zen traça suas origens através da China, até o próprio Gautama. Segundo o zen, seus ensinamentos, os quais formam o Cânon Palmi, eram verdadeiros, mas provisórios. Seus seguidores mais sensíveis ouviram na sua mensagem um ensinamento mais sutil, uma verdade definitiva. O exemplo clássico disso está relatado no famoso "Sermão da Flor", do Buda. De pé numa montanha com os discípulos ao seu redor, o Buda não recorreu a palavras nessa ocasião. Ele simplesmente ergueu um lótus dourado. Ninguém entendeu o significado desse gesto eloquente, a não ser Mahakasyapa, cujo sorriso discreto, indicando que ele tinha entendido o sentido, fez o Buda o designar como seu sucessor. A lenda nos conta que o lampejo intuitivo que o fez sorrir foi transmitido na Índia por vinte e oito patriarcas e levado para a China por Bodhidharma, em 520 d.C. De lá se espalhou pela Coreia e chegou ao Japão no século 12, levando o segredo do zen.

Significado

Penetrar no zen é como entrar num mundo de diálogos confusos, enigmas obscuros, paradoxos atordoantes, contradições flagrantes e falsas conclusões abruptas, todos apresentados no estilo mais urbano, alegre e inocente que se possa imaginar. Eis alguns exemplos:

Um mestre, Gutei, sempre que lhe perguntavam qual o significado do zen, erguia o dedo indicador. Isso era tudo. Um outro chutava uma bola. Outro ainda batia em quem tinha perguntado. Um mestre zen diz: o coração é o Buda; esse é o remédio para as pessoas doentes. Sem coração, sem o Buda: isso é para pessoas que estão doentes por causa do remédio. Um discípulo que fez uma alusão respeitosa ao Buda recebeu a ordem de lavar a boca e nunca pronunciar aquela palavra suja de novo. Um mestre zen do século 20 disse: há Buda para aqueles que não entendem o que ele é de fato. Não há Buda para aqueles que entendem o que ele é de fato. O sentido é que, conforme enfatizam os místicos, nossas experiências mais elevadas evitam as palavras quase que totalmente.

Redoma Verbal

Em contraste com a maior parte das religiões que giram ao redor de algum tipo de crença, o zen se recusa a se encapsular numa redoma verbal. Não é "fundamentado em palavras escritas e é fora do padrão estabelecido de ensinamentos", conforme o Bodhidharma colocou a questão. Nenhuma afirmação é algo além de um dedo apontando para a lua. E, caso a atenção se volte para o dedo, o zen notará, apenas para retirar imediatamente o dedo. Outras religiões consideram pecado a blasfêmia e o desrespeito pela palavra de Deus, mas os mestres zen podem ordenar aos seus discípulos que rasguem suas escrituras e evitem palavras como "Buda" ou "nirvana", como se fossem palavrões.

Koans

Uma das características mais intrigantes do zen budismo é o uso que se faz de um estranho recurso para treinamento espiritual: o koan. De forma geral, *koan* quer dizer "problema", mas os problemas que o zen delineia são – para dizer o mínimo – fantásticos. À primeira vista, parecem nada menos que o cruzamento entre uma charada e uma piada sem nenhum sentido intencional. Por exemplo:

Li-ku, um oficial de alta patente da dinastia T'ang, perguntou a um famoso mestre:

"Há muito tempo, um homem mantém um ganso numa garrafa. Ele cresceu cada vez mais até que não podia sair mais da garrafa. O homem não queria quebrar a garrafa, nem queria machucar o ganso. Como você o tiraria de lá?"

O mestre ficou em silêncio por alguns momentos e então gritou:
"Ó oficial!"
"Sim."
"Ele está fora!"
Ou ainda:
"Um mestre, Wu Tsu, diz:"
"Mesmo que nossa tendência seja considerar esses enigmas absurdos, o praticante do zen deve concentrar toda a força da sua mente na solução desses problemas, esperando até que uma resposta aceitável surja. Às vezes, o estudo de um único koan pode demorar tanto quanto uma dissertação de doutorado. Durante esse tempo, a mente está intencionalmente trabalhando, mas em um nível muito especial."

Esse trabalho todo tem a ver com o fato de que o zen budismo considera a razão limitada e preconiza que ela deve

Stupa no Vale de Catmandu, Nepal

ser suplementada com outra forma de conhecimento. De acordo com Huston Smith, autor do best-seller *Budismo: Uma Introdução Concisa* (Editora Pensamento, tradução de Claudio Blanc) "para o zen, se a razão não for uma bola presa a uma corrente, ancorando a mente à terra, ela é uma escada baixa demais para alcançarmos a altura total da verdade". A razão deve, portanto, ser ultrapassada, e é justamente para se atingir essa meta que os koans se destinam. Sua intenção é perturbar a mente, desequilibrá-la e finalmente provocar revolta contra os padrões que a aprisionam. "Ao forçar a mente a lutar contra aquilo que, do ponto de vista normal, é um absurdo completo, ao compelir a mente a unir coisas que são normalmente incompatíveis, o zen busca levar a mente a um estado de agitação, o qual a joga contra sua prisão de lógica como um rato encurralado", escreve Smith. Dessa forma, por meio do paradoxo e de falsas conclusões, o zen provoca, excita, exaspera e finamente exaure a mente até que ela perceba que o raciocínio não é a única forma de se acessar conhecimento e sabedoria.

Vajrayana: O Budismo Tibetano

Uma antiga lenda conserva a memória de como o budismo chegou ao Tibete. Isso aconteceu, segundo a tradição, no século 5 d.C. Um dia, o rei Lhathothori Nyantzan estava descansando no topo do Monte Yungbo Lhakang quando, de repente, um tesouro caiu do céu. O rei não tinha a menor ideia do que era aquilo, mas uma voz misteriosa lhe disse que o 33° *tsampo*, ou rei, da Dinastia Yarlung saberia como usar aqueles objetos. E foi, realmente, no reinado de Songtsen Gampo que o budismo chegou ao Tibete. Num esforço para estabelecer laços econômicos e culturais com reinos vizinhos, Gampo se casou com a princesa Bhrikuti Devi, do Nepal, e a princesa chinesa Wencheng, da Dinastia T'ang (618-907). Cada princesa viajou para o Tibete com uma estátua de Buda, e, uma vez lá, cada uma influenciou seu marido a construir os Mosteiros de Jokhang e Ramoge, em Lhasa. Logo a seguir, os monges que acompanharam as princesas começaram a traduzir as escrituras budistas, estabelecendo definitivamente o budismo no Tibete.

Atisha

Depois da morte de Songtsen Gampo, a nova religião foi duramente perseguida. Contudo, no século 9, quando o ambiente voltou a ser propício para o budismo, um senhor da guerra tibetano, que viria a se tornar o monge Yeshe-Ö, "a Luz do Conhecimento", convidou o grande mestre indiano Atisha (982-1055) para lecionar no país. Depois de uma série de recusas, Atisha finalmente chegou ao Tibete em 1042, instruindo um grande número de discípulos até a sua morte. Para tanto, Atisha escreveu *Luz para o Caminho*, o texto original do Lamrim – instruções especiais conhecidas como "os estágios do caminho".

Os seguidores de Atisha são conhecidos como Kadampas, que poderia ser traduzido como "(portador da) palavra de instrução pessoal", referindo-se ao conhecimento que estes teriam do Lamrim. O budismo mahayana que Atisha trouxe da Índia acabou se tornando mais influente ali do que no seu país natal, onde veio a desaparecer.

Com o passar do tempo, a doutrina trazida por Atisha se diversificou conforme as diferentes orientações, fazendo emergir as atuais ordens monásticas do Tibete.

As Escolas do Budismo Tibetano
Bön

O termo tibetano *bön*, recitação ou invocação, remete a vários movimentos religiosos que surgiram no oeste do Tibete, antes da introdução do budismo. Seus sacerdotes, chamados bönpos ou shens, realizavam práticas xamânicas, divinações, curas e exorcismos. Depois do século 11, eles desenvolveram um sistema religioso próprio, muito semelhante ao das escolas budistas tibetanas.

A história tradicional diz que o bön foi fundado por Tonpa Shenrab Miwoche. Segundo a lenda, Tonpa Shenrab, um contemporâneo de Buda, teria criado o bonismo em Tag-gzig, um país místico, localizado numa terra imaginária. A cosmogonia bön ensina que no início tudo o que havia no Universo eram dois ovos, um branco e outro preto. Os dois ovos se quebraram, e do ovo branco saíram os deuses e humanos, e do preto saíram os demônios e os parasitas.

Com o tempo, o bön e o budismo se amalgamaram, modificando-se mutuamente. O budismo tibetano absorveu algumas crenças e rituais do bonismo, como o uso do oráculo, a astrologia e o panteísmo. As escolhas dos Tulkus (reencarnações), por exemplo, começavam com consultas a um oráculo, previsões astrológicas, observações

As tankas são o maior expoente da arte sacra tibetana

de visões em lagos sagrados. Influenciado pelo bonismo, o budista Padmasambhava afirmou que as divindades bonistas eram, na verdade, as divindades menores do budismo. Além disso, ele adotou as crenças e os rituais bonistas, e permitiu que se comesse carne. Por outro lado, o bonismo foi modificado pelo modelo budista para se tornar um ramo do budismo tibetano, a Seita Negra. Atualmente, o bön continua a possuir características próprias, como a invocação de espíritos, oferendas e divinações. A organização monástica do bön é semelhante ao sistema budista tibetano, assim como a literatura e os ensinamentos da Grande Perfeição.

Nyingma

A primeira tradição a aparecer no Tibete, no século 7, foi a Nyingma, ou "Escola dos Antigos", fundada pelo missionário Padmasambhava e pelo bodisatva Shantarakshita. Também conhecida como a Seita Vermelha porque seus monges usavam chapéus vermelhos, a Escola Nyingma procurou absorver alguns aspectos da religião bön, e, ao mesmo tempo, buscou recuperar os sutras, ou aforismos budistas – a mais breve definição de um princípio –, que o rei Lang Dharma havia tentado destruir.

Os primeiros ningmapas eram monges e leigos que seguiam as primeiras traduções do cânone budista. O principal ensinamento desta escola é conhecido como *Maha Ati*, ou "a Grande Perfeição", introduzido no Tibete ainda no século 7 pelo iogue indiano Vimalamitra. Esse ensinamento aponta diretamente para a perfeição natural da mente desperta, o legado supremo do Buda.

Sakya

Sakya significa "terra cinza", em tibetano. Isso porque seu mais famoso mosteiro, o Mosteiro Sakya, foi construído numa região do Tibete conhecida justamente por sua "terra cinza". A Escola Sakya foi fundada em 1073 por Konchok Gyelpo, membro de uma influente família de seguidores da Escola Nyingma. Konchok recebeu do tradutor tibetano Drogmi os ensinamentos da linhagem

Monge meditando num mosteiro tibetano

do mestre tântrico indiano Virupa. Em seu livro *Introduction to Tibetan Buddhism*, John Powers conta que Virupa "se tornou um mestre siddha (um adepto do tantrismo) e tinha controle sobre a vida e a morte. Ele podia criar aparências à vontade e as limitações das pessoas comuns não se aplicavam a ele. Diz-se que ele viveu 700 anos e finalmente atingiu a libertação completa".

A tradição Sakyapa tomou forma definitiva com o filho de Konchok Gyelpo, Sanchen Kunga Nhigpo (1092-1158) e, nos dois séculos seguintes, com outros quatro grandes mestres, entre eles, Sakya Pandita, um dos lamas – a palavra tibetana para "guru" ou professor – mais importante dessa escola.

O mestre à frente da tradição Sakya é tido como uma emanação de Manjursi, o bodhisattva da sabedoria.

Kagyu

A escola Kagyu, outra das quatro maiores tradições tibetanas, foi fundada no século 11 d.C pelo educador e tradutor Tibetano Marpa. Como ele pregava que os princípios tântricos deveriam ser passados oralmente de geração a geração, essa tradição veio a ser chamada de Kagyu, ou "passada oralmente". Marpa viajou três vezes para a Índia, onde passou duas décadas estudando as escolas do pensamento indiano.

Como Marpa usava um manto branco para praticar o budismo, a tradição Kagyu acabou, também, sendo chamada de Seita Branca. Os ensinamentos dessa escola enfocam, principalmente, os campos da filosofia da mente e a ciência da meditação.

A escola Kagyu tem se desenvolvido através dos séculos na linhagem Karmapa, ou linhagem Carma Kagyu, que começou com o Karmapa Düsum Khyenpa (1110-1193) e é representado hoje pelo 17º Gyalwa Carmapa, Ogyan Drodul Trinley Dorje.

Gelug
A escola dos Virtuosos foi fundada pelo monge tibetano Tsongkhapa Losang Dragpa, considerado uma emanação dos bodhisattvas Avalokiteshvara, Manjushri e Vajrapani.

No começo do século 15, a classe superior dos monges se envolveu numa luta por poder econômico e político, fazendo com que as instituições religiosas se tornassem decadentes e perdessem a popularidade. Tsongkhapa, esforçando-se para que os princípios do Buda não fossem corrompidos, escreveu vários livros, buscando reformar o budismo local.

Renomado erudito, praticante de meditação e filósofo, Tsongkhapa desenvolveu em seu trabalho escrito uma visão inteligível da filosofia e prática budistas. Sobre esse místico, o escritor John Powers relata que "a educação monástica de Tsongkhapa começou muito cedo. Na adolescência, ele já se dedicava totalmente à prática e aos estudos religiosos, viajando pelo Tibete e recebendo ensinamentos de lamas de todas as escolas do budismo tibetano. Apesar de sua crescente reputação, ele vivia de maneira simples e livre de qualquer ostentação ou arrogância. Tinha a habilidade de impressionar as pessoas com sua erudição e profunda sabedoria, enquanto simultaneamente as mantinha tranquilas na sua presença. Nunca era rude ou desrespeitoso com seus oponentes de debates, sempre mantinha sua equanimidade e respondia a todas as perguntas com igual respeito".

A palavra *Gelup* significa "mandamentos", mas como Tsongkhapa e seus seguidores usavam chapéus amarelos, essa escola ficou também conhecida como "Seita Amarela". Desde a sua fundação, em 1409, a Seita Amarela iniciou a formação dos dois maiores sistemas de reencarnação dos Budas Vivos – o do Dalai Lama e o do Panchen Lama. Esse sistema é a principal distinção entre a tradição tibetana e as outras formas de budismo.

O Buda Vivo

O termo "Buda Vivo" surgiu quando o imperador mongol da China Kublai Khan honrou o líder da seita Sakya com o título de "Buda do Paraíso do Oeste". A partir daí, qualquer monge que se distinguia na prática do budismo era chamado de Buda Vivo.

Em 1252, Kublai Khan concedeu uma audiência a Carma Pakshi, um monge eminente da Seita Karma Kagyu, depois incorporada à escola Gelup. O imperador conferiu a Karma Pakshi um chapéu com as abas douradas. Para firmar os interesses de sua seita, em 1283, Pakshi deixou um testamento orientando os seus discípulos a procurarem um garoto para herdar o chapéu dourado. Essa instrução era baseada na premissa de que um bodisatva, isto é, uma pessoa que atingiu a iluminação, sempre reencarna para completar as missões que havia iniciado. Os discípulos de Karma Pakshi agiram de acordo com as orientações e encontraram o garoto com a alma reencarnada do mestre. O evento marcou a introdução do sistema de reencarnação do Buda Vivo, adotado, posteriormente, por outras escolas do budismo tibetano.

O Dalai Lama

O título "Dalai Lama", "Oceano de Sabedoria", foi dado por um imperador mongol ao monge Sonam Gyatso, em 1578. Para os tibetanos, os Dalai Lamas são emanações de Chenrezig, ou Avalokitesvara, o Buda da Compaixão, que escolheu voltar a reencarnar para servir a humanidade. A linhagem começou no século 16 e continua até os dias de hoje. Mas foi somente no século 17 que o poder temporal e secular do Tibete passou a

O Potala, antigo palácio do Dalai Lama

ser exercido pelos Dalai Lamas, quando o quinto da linhagem, Losang Gyatso, o Grande, assumiu essa incumbência.

Um Dalai Lama não é apontado ou eleito. Ele nasce para essa tarefa. Quando um Dalai Lama morre, deixa sinais que indicam onde renascerá. Hoje, o Dalai Lama encontra-se na sua décima quarta encarnação.

O 14º Dalai Lama

O 14º Dalai Lama nasceu no dia 6 de julho de 1935, na vila de Taktser (região leste do Tibete), logo depois da morte do seu antecessor. Dizem que, ao morrer, a cabeça do 13º Dalai Lama pendeu para o leste, indicando o local do seu futuro renascimento. Imediatamente, começou-se a procura pelo novo líder político e espiritual do Tibete.

Seguindo premonições e sonhos, em 1937, alguns monges chegaram finalmente à remota aldeia de Taktser. Para não despertar atenção, eles viajavam disfarçados de mercadores e não revelaram qual era o objetivo da visita. Os monges perceberam que todas as características daquele lugar eram idênticas às descrições da visão que o regente do Tibete, o substituto temporário do Dalai

Lama, tivera. Assim, eles seguiram até a casa de uma família de lavradores, onde havia um menino de dois anos.

Lhamo Dhondrub mal sabia falar, mas reconheceu os dois monges, chamando-os pelos nomes. Depois, Lhamo identificou alguns objetos pessoais do 13º Dalai Lama que os sacerdotes traziam com eles. Dois anos depois, veio a confirmação: Lhamo era realmente 14º Dalai Lama. Em seguida, o menino foi levado para Lhasa, a capital do país, onde passou a viver no Palácio de Potala. Em 22 de fevereiro de 1940, Lhamo foi entronado como líder espiritual do Tibete e recebeu seu novo nome: Jetsun Jamphel Ngawang Lobsang Yeshe Tenzin Gyatso – Santo Senhor, Glória Gentil, Misericordioso, Defensor da Fé. Os tibetanos normalmente se referem a ele como Yeshe Norbu – a "Joia que satisfaz os desejos".

Fugindo do Tibete em 1959, ele hoje é o líder do governo tibetano no exílio. Por seus esforços, ganhou o Prêmio Nobel da Paz, em 1989.

Consequências da Invasão Chinesa

É difícil pensar que a invasão chinesa do Tibete tenha resultado em algum bem. O saldo atinge proporções catastróficas: genocídio, ambienticídio e o esforço consciente pela total obliteração da cultura do país. No entanto, os próprios monges tibetanos – as principais figuras da resistência contra a invasão chinesa – têm a grandiosidade de perceber que o seu drama acabou revelando ao mundo um dos maiores trunfos do Tibete: sua religião.

Esses religiosos se lembraram das instruções do Buda aos seus primeiros discípulos: "vão para o mundo, monges, para o bem de muitos, para a felicidade de muitos, por compaixão de todos". E, com a invasão chinesa, a sabedoria tibetana começou a fluir como uma cascata do teto do mundo em direção ao Ocidente. Monges e monjas, lamas e mestres que nunca haviam deixado seus mosteiros encontraram um universo sedento por seus ensinamentos. Conforme John Powers, "como resultado da diáspora, pesquisadores ocidentais hoje têm acesso à literatura tibetana, o que nunca seria possível se o Tibete permanecesse isolado. Ainda mais do que isso, a invasão chinesa conduziu a maioria dos grandes sábios e religiosos do Tibete ao exílio, fazendo com que as pessoas interessadas em estudar o budismo tibetano possam se encontrar com eles e receber suas explicações orais".

O Livro Tibetano dos Mortos

Os ensinamentos contidos no *Livro Tibetano dos Mortos* têm origem remota e incerta. Seu nome original é *Bardo Tödrol Chenmo*, que significa "Grande Liberação por meio da Audição no Bardo" e fazem parte de um conjunto de instruções transmitido pelo mestre Padmasambhava e revelado no século 14 pelo tibetano Karma Lingpa. A primeira tradução para a língua inglesa foi editada em 1927 por W.Y. Evans-Wentz e, de lá para cá, sofreu diversas revisões para que fosse possível uma aplicação prática do texto no mundo ocidental. Nesse sentido, muitas dificuldades ainda persistem, mas a linguagem ocidental que mais se aproxima dos ensinamentos do budismo é a da psicologia contemporânea.

Nova Etapa

Para os budistas, a morte é apenas o começo da nova etapa do caminho existencial. Vida e morte estão somente na mente, especificamente na parte que discrimina e julga. Esta mente produz pensamentos, desejos, emoções que mudam no decorrer da vida na medida que mudamos nossos referenciais externos. No entanto, a natureza mais profunda da mente é absoluta, permanente. Esta natureza foi simbolizada por muitos nomes nas diversas tradições: Deus, Eu Superior, Shiva, Brahma, Vishnu, natureza búdica, e assim por diante. O *Livro Tibetano dos Mortos* contém ensinamentos para todos, quer estejamos "vivos", quer estejamos morrendo, ou quer estejamos "mortos". Indica como podemos reconhecer e aproveitar as oportunidades que surgem nos Bardos para dissolvermos nossas ilusões e penetrarmos no estado desperto, ou búdico – isto é, a iluminação.

Bardo

A palavra "Bardo" significa "estado intermediário". Na linguagem cotidiana dos tibetanos, é o estado entre morte e renascimento, mas o conceito se aplica aos muitos momentos da nossa existência em que nos encontramos nem lá, nem cá. São momentos que estamos como que "suspensos" entre duas situações básicas. Na visão budista, não há separação entre vida e morte. As passagens se sucedem, uma após a outra, e os períodos intermediários entre elas, apesar de serem carregados de incertezas e dúvidas, são verdadeiros potenciais de liberação. Na morte em especial, esse potencial é grandemente multiplicado.

Realidades Intermediárias

Os budistas dividem a existência em quatro realidades intermediárias que se sucedem, ou os quatro bardos:

Bardo "natural" desta vida – diz respeito ao período entre nascimento e o início da morte. Na nossa visão ocidental, parece um tempo muito maior que uma simples transição, mas se considerarmos toda a nossa história de muitas vidas, vamos

Escritura sagrada em língua tibetana

verificar que esse período não é tão longo assim. De acordo com os ensinamentos do budismo tibetano, esse é o momento para nos prepararmos para a morte, quando então teremos a oportunidade de retomarmos a nossa natureza luminosa essencial.

Bardo "doloroso" da morte – envolve desde o início do processo de morrer até a morte em si. Diz-se doloroso porque mergulhamos numa enorme incerteza, oscilando entre a insanidade e iluminação. Inicialmente perdemos a sensação tangível do nível físico. Em seguida, a mente vai se esvaecendo, perdendo sua nitidez. As emoções se agitam. Tentamos nos ancorar em pessoas que amamos (ou odiamos) e com isso, o fogo das emoções começa a queimar. Gradualmente, a lenha vai se consumindo, e as lembranças vão ficando cada vez mais vagas. Tudo vai se esvaziando até que desponte a natureza da mente, ou "luminosidade base", e tudo volta ao estado original, pois os três venenos – origens de nossas ilusões – dissolvem-se: raiva, desejo e ignorância.

Bardo "luminoso" do dharmata – é o intervalo entre a morte e o renascimento. Ao despontar a natureza essencial da mente, temos a grande oportunidade de iluminação. Nem todos, porém, conseguem identificá-la. Apesar de as emoções negativas terem se retraído com o surgimento da luminosidade, hábitos e apegos arraigados de muitas vidas permanecem escondidos no fundo de nossa mente ordinária. A maioria de nós opta por agarrá-los novamente, mergulhando mais uma vez no oceano de samsara (ilusão).

Bardo cármico do "vir-a-ser" – não reconhecendo a luminosidade base, o bardo do dharmata passa como um raio, e começamos então a recomposição de nossa nova existência. Nossas velhas tendências ficam ativadas e, apesar da mente estar dotada de bastante clareza, nos movemos em direção aos nossos apegos. Começamos a agir sob o impulso do carma, fruto das nossas ações, de forma praticamente automática e cega, sendo finalmente atraídos ao útero onde reiniciaremos nossa próxima jornada.

Hinduísmo

Religião Mundial

A principal religião do subcontinente indiano é praticada por 80% da população – cerca de oitocentos milhões de pessoas. O hinduísmo é predominante em poucos lugares – no Nepal, na ilha indonésia de Bali, nas ilhas Maurício e em Fiji –, mesmo assim é a maior religião da Ásia em termos de adeptos. Uma das doutrinas mais antigas do mundo, suas raízes foram firmemente estabelecidas há mais de três mil anos.

A civilização do Vale do Indo desenvolveu uma religião que, de muitas formas, demonstra uma relação próxima do hinduísmo moderno. Mais tarde, ela recebeu outros elementos e se desenvolveu através da combinação das práticas religiosas dos invasores arianos com aquelas dos dravidianos nativos.

As Religiões do Mundo

Detalhe de uma mulher orando durante o Diwali, o festival hindu das luzes

Preceitos

O hinduísmo sustenta que a alma passa por uma série de encarnações até, finalmente, atingir um estado de consciência conhecido como *moksha*: a salvação espiritual que libertará a alma do *samsara* – o ciclo de reencarnações. As experiências e ações de cada nova vida levam o espírito mais perto ou mais longe de *moksha*. Isso depende do *carma* – literalmente as consequências geradas pelas ações da alma com relação à lei da causa e efeito. As atitudes negativas levam a um *carma* ruim, o que implica encarnar num nível inferior na vida seguinte. Da mesma maneira, uma vida boa e justa conduz a alma para cada vez mais perto do estado de *moksha*. A melhor forma para orientar as ações e atitudes é a obediência ao *darma*, a Lei da Harmonia Universal. No mundo hindu, o *darma* define todas as relações sociais, éticas e espirituais. Há, na verdade, três níveis de *darma*. O primeiro é a Harmonia Eterna, que permeia todo o Universo. A segunda categoria é o *darma* que controla as castas e as relações entre elas. E o terceiro *darma* é o código moral que o fiel deve seguir.

Ritos

A ritualística hindu envolve três práticas básicas: *puja*, ou veneração, a cremação dos mortos e a obediência ao sistema de castas. Essa última tradição representa um atraso para a Índia e fomenta histórias, algumas vezes, inacreditáveis. Na década de 1980, por exemplo, vários *harijans*, membros da casta dos intocáveis, os párias da sociedade hindu, foram mortos num tumulto que começou porque um noivo se recusou a desmontar do cavalo quando passou por um grupo de homens de casta superior.

Panteão

Os ocidentais acabam achando difícil de entender o hinduísmo, principalmente por causa do seu enorme panteão. Mas, de uma forma geral, os muitos deuses podem ser vistos como representações ou desdobramentos dos vários atributos de uma entidade. Até mesmo o Deus onipresente se manifesta de três formas diferentes: Brahma, o Criador, Vishnu, o Preservador, e Shiva, o Destruidor e Restaurador. As divindades são simbolicamente representadas com quatro braços, mas Brahma tem quatro cabeças, pois ele tudo vê. Dizem que os vedas emanaram das suas quatro bocas.

Consortes e Veículos

A cada deus são associados um animal, o "veículo" que ele cavalga, e uma consorte com certos atributos e habilidades. Cada deus também tem um símbolo que o representa. A consorte de Brahma é Sarasvati, a deusa do conhecimento. Ela monta um cisne e traz consigo o *veena*, um instrumento de cordas. Vishnu, o Preservador, é quase sempre representado numa das formas que ele assumiu ao visitar a terra. Ele já apareceu nove vezes na Índia, e é esperado em uma décima encarnação, como Kalki. Nas primeiras visitas ele veio como *Narsingh*, um homem-leão. Na sétima encarnação, porém, Vishnu foi Rama, a personificação do homem ideal. Rama é o herói do épico *Ramayana*, uma aventura de coragem e fidelidade. No poema, Rama é ajudado por Hanuman, o deus macaco, cuja fidelidade fez com que ele se tornasse o guardião das entradas dos fortes e palácios, onde quase sempre há estátuas suas. A consorte de Rama é Sita.

Na encarnação seguinte de Vishnu, a oitava, ele veio como Krishna, um avatar muito popular entre as classes mais baixas, uma vez que Krishna cresceu entre camponeses. Krishna é azul, e comumente é retratado tocando uma flauta. Sua consorte é Radha, a líder das *gopis*, ou pastoras. A nona encarnação de Vishnu é uma ponte entre o hinduísmo e o budismo, pois, daquela vez, seu avatar foi o próprio Buda. Isso não deixa de ser uma verdade histórica, considerando que o budismo deriva do hinduísmo. Quando Vishnu aparece como ele mesmo, no lugar da forma de uma das suas encarnações, é representado deitado, adormecido em uma enorme cobra, flutuando sobre o Oceano Cósmico. E, enquanto dorme, Vishnu sonha o universo em que vivemos. O veículo de Vishnu é o homem-águia Garuda, um patrono das boas ações. E a consorte de Vishnu é a linda Laxmi (pronuncia-se *Lakshmi*), que veio do mar e é a deusa da fortuna e da prosperidade.

Shiva, a terceira manifestação do Deus onipresente, é tanto o destruidor quanto o reconstrutor do Universo. Seu emblema é o *lingam*, um monumento fálico que representa seu poder criativo. Shiva traz em si aspectos elevados, ao mesmo tempo em que é sombrio e ameaçador. Shiva nasceu em berço pobre e habitou cemitérios. Ele é *Bhiksatana murti*, o Mendigo Errante, e, também, *Samharamurti*, A Manifestação Destrutiva. Shiva cavalga o touro Nandi e vive no Himalaia, onde devota grande parte do tempo à meditação e ao uso de haxixe. Uma das suas manifestações é como Nataraja, o Dançarino Cósmico, cuja dança destrói e constrói os muitos universos. A consorte de Shiva é Parvati, a Bela. Parvati, a filha da montanha Himavan, o rei do Himalaia, encerra em si todas as qualidades do feminino. Ela é a terna amante, a esposa dedicada, a mãe fiel e nutridora. No entanto, Parvati tem um aspecto terrível, o de Durga ou Kali, a terrível deusa da destruição. Kali cavalga um tigre, brandindo armas nas suas dez mãos.

Deuses Menores

Além desses há ainda uma infinidade de deuses menores, mas a maioria dos templos é dedicada às três principais divindades. Curiosamente há poucos templos de Brahma na Índia – talvez três ou quatro em todo o subcontinente. A maioria dos hindus se diz *Vaishnavites*, seguidores de Vishnu, ou *Shaivites*, seguidores de Shiva. Outra característica ímpar do hinduísmo é que as conversões não são aceitas. Ninguém pode adotar a religião. Para ser hinduísta, tem que se nascer hinduísta.

Livros Sagrados

Por volta de 1.000 a.C., as escrituras védicas já existiam na sua forma oral, formando um primeiro esboço da doutrina. Os vedas não são um único livro sagrado, como a Bíblia ou o Alcorão. Na verdade, eles constituem uma literatura sacra inteira. Os quatro vedas, ou "saber divino", contêm os fundamentos do hinduísmo. Os *Upanishads* mergulham na natureza metafísica do Universo e da alma. O *Mahabarata*, ou "A Grande Guerra dos Barathas", é um poema épico de 220.000 linhas. Conta sobre a batalha entre os Kauravas e os Pandavas, que descendiam da raça lunar. O episódio mais famoso do Mahabarata é o *Bhagavad Gita*. Nele, o Senhor Krishna – o avatar, ou encarnação do deus Vishnu – encoraja Arjuna antes de uma batalha monumental, falando sobre o ciclo da alma em sua evolução, elaborando uma das mais belas revelações sobre o espírito humano. Um outro épico, o *Ramayana*, é um dos textos mais reverenciados pelos hindus, provavelmente por causa do seu verso introdutório, que diz que "aquele que ler e repetir o santo *Ramayana* será libertado de todos os seus pecados e exaltado por toda a posteridade no mais elevado paraíso celestial".

Vedas

Quando os invasores arianos penetraram no subcontinente indiano, a partir do segundo milênio antes de Cristo, levaram com

Deuses hindus no templo Sri Murugan (Hampi, Índia)

eles uma contribuição que marcaria dramaticamente a face da Índia e que seria preservada até hoje: sua religião. O hinduísmo, que se originou da tradição ariana, baseava-se em conceitos de sacrifício. E, com o tempo, os brâmanes, sacerdotes que executavam esses ritos, acabaram compilando uma literatura que retrata sua crença. Os hinos executados nos rituais originaram uma coletânea sobre as vidas e os poderes dos deuses, o *Rig-Veda*. Essa coleção de textos foi reunida pela primeira vez em cerca de 1.000 a.C., sendo transmitida oralmente até os textos serem finalmente escritos, em aproximadamente 1.300 d.C.

"Veda" quer dizer "saber", e os vedas não podem ser considerados um único livro, como a Bíblia, mas toda uma literatura sacra. A parte mais antiga do Veda é os samhitas, hinos e fórmulas religiosas constituídos de quatro livros. Os 1.028 hinos do Rig-Veda são convites aos deuses para participar dos sacrifícios em sua honra. Esse livro sagrado também contém uma série de mantras, versos relacionados com ritmos especiais para serem usados em determinados rituais.

O atarvaveda, um dos quatro livros que constituem os samhitas, já tem um caráter diferente. É uma compilação de fórmulas mágicas para afastar desgraças e atrair saúde e prosperidade. Além disso, os samhitas contêm textos em prosa tão antigos quanto longos, que trazem numerosas lendas.

Upanishads

Outra coleção de textos, os Brahmanas, é uma série de tratados filosóficos, a chamada doutrina secreta, ou *Upanishads*. Esses tratados, dos quais os mais antigos datam de 800 a.C., pregam a essência do hinduísmo, ou seja, que o núcleo espiritual mais íntimo de cada ser, o Atman, ou Eu, é idêntico ao espírito universal, Brahma. Foi nos Upanishads que apareceu, pela primeira vez, a ideia de que a alma, depois da morte, entra no corpo de uma nova criatura, onde vai viver as consequências das suas boas e más ações realizadas na existência que acabou de chegar ao fim. No curso normal do Universo, uma existência se sucede à outra num ciclo interminável, que os hindus chamam de samsara. Mas enquanto a maioria dos seres se arrasta de uma encarnação para outra, o homem deve buscar um meio de escapar da dolorosa roda de morte e renascimento. E esse meio, que encerra definitivamente a transmigração da alma, é o conhecimento. Para o hinduísmo, aquele que chega à consciência de que sua alma é da mesma substância que a alma universal se liberta de todo o desejo e, dessa forma, não realiza ações que venham a ser causas de uma nova reencarnação. Ao morrer, o homem ou a mulher que atingiu a iluminação se unem a Brahma e não retornam jamais ao mundo das constantes mudanças.

Com o passar do tempo, o culto védico foi se modificando, até chegar na sua forma atual, onde as divindades são louvadas no interior de templos. A formação dessas novas concepções e rituais religiosos pode ser acompanhada nos poemas do Ramayana, do Mahabarata e nos dezoito Puranas, ou "antigas narrações". Esses escritos tratam de descrições de ritos redentores e considerações filosóficas. Entre eles, está o texto mais famoso do hinduísmo clássico, o Bhagavad Gita, ou "Cântico do Senhor". Nesse poema de setecentas estrofes, um episódio do Mahabarata, Krishna – a forma terrena do deus Vishnu – explica ao príncipe Arjuna que devemos cumprir o dever de um modo desinteressado, sem pensar em sucesso ou fracasso e sem temer a morte, pois, se o corpo perece, o espiritual que há no homem é, por sua vez, imortal.

Os Puranas retratam as ideias dos hindus sobre o Universo, além de trazerem diversos ritos e cerimônias de culto. O Garuda-Purana, por exemplo, trata especialmente dos mortos e da crença no Além. Um grupo especial de textos sagrados que tem relação com os Puranas é os Ágamas e os Tantras. A maioria desses escritos data do primeiro milênio depois de Cristo e trata de ritos especiais seguidos por algumas seitas hindus.

Finalmente, as obras da tradição sagrada hindu se completam com os shastras, ou "manuais", das mais diversas ciências. No

As Religiões do Mundo

entanto, o ponto culminante dos Vedas é a doutrina do místico Shankara, ou Vedanta. Shankara, que viveu no século 9 da nossa era, deu uma nova interpretação aos Upanishads e fundamentou seus ensinamentos em comentários das sagradas escrituras e poemas. Essa doutrina, divulgada pelo asceta Bengali Ramakrishna (1836 – 1886), conta hoje com numerosos seguidores, tanto na Índia como no Ocidente.

Islamismo

Árabes e Muçulmanos

A questão da etnia dos muçulmanos costuma causar confusão. De forma generalizada, a impressão que a maioria tem é de que muçulmanos e árabes são a mesma coisa. Ledo engano. Nem todos os árabes são muçulmanos e apenas uma fração dos muçulmanos do mundo todo são árabes. Há muitos muçulmanos na Índia e na Ásia, por exemplo.

Cultura Avançada

A opinião pública, devido ao terrorismo, ao extremismo religioso de muitos seguidores do islamismo e à repressão à mulher, tende a colocar os muçulmanos como culturalmente inferiores. Longe do falso conceito de bárbaras e primitivas, durante séculos, as civilizações do Islã foram, na verdade, muito superiores às ocidentais. A combinação

Arte islâmica na Alhambra, Granada, Espanha

de ideias orientais e ocidentais provocou grandes avanços na Medicina, Matemática, Física, Arquitetura e Artes, entre outras áreas. Muitos elementos importantes para o avanço do homem, como os instrumentos de navegação marítima e os sistemas algébricos, surgiram no Islã. Também foram os árabes que introduziram o papel na Europa e inventaram o arco ogival, sem o qual os europeus cristãos não poderiam construir as catedrais góticas.

Expansão

O Islã ainda continua sua expansão. E fortemente. O islamismo é, de fato, a religião que mais cresce no mundo contemporâneo. A cada cinco pessoas no planeta, uma é muçulmana – são, portanto, 1 bilhão e trezentos milhões de fiéis. É a segunda maior religião do mundo. Em praticamente todos os países do mundo existem muçulmanos. Cerca de 70% dos intelectuais que se convertem a uma crença escolhem o islamismo.

Mas a que se deve o magnetismo que essa fé exerce em cada vez mais pessoas? Uma edição de 1981 de *O Correio da Unesco* oferece uma boa resposta: "nos 13 séculos que se passaram desde sua gênese, a religião congrega, hoje, mais de 800 milhões de adeptos (número da época), unidos pelo sentimento profundo de pertencerem a uma só comunidade. E essa expansão, que continua, é devida principalmente a um espírito de universalidade que transcende qualquer distinção de raça e permite a cada povo se integrar no Islã, mas, ao mesmo tempo, conservar sua cultura própria". Mais que uma religião, o Islã é, de fato, uma grande nação sem fronteiras.

A Arábia Pré-islâmica

Por diversas vezes, os romanos estiveram às portas da Península Arábica, mas não viram vantagem em conquistar uma região tão inóspita. E o lugar passou a figurar nos mapas de Roma apenas como a desconhecida província arábica.

As populações das regiões central e setentrional, divididas em numerosas tribos ou clãs, eram de etnia semita. Os árabes do deserto, os beduínos, eram nômades, de características bem diversas dos árabes do sul. O idioma árabe acabou se impondo em toda a região, alastrado pelas suas caravanas que cruzavam a península.

A costa marítima era ocupada pelas tribos sedentarizadas que habitavam Meca e Yatreb (mais tarde, Medina), as duas principais cidades, vivendo como comerciantes ou pequenos artífices, e exportando para o Ocidente o incenso, as tâmaras e os perfumes. No entanto, nem os beduínos nem os árabes urbanos possuíam um governo centralizado. Prevalecia a organização tribal, e não eram raros os conflitos entre as tribos.

Apesar das diferenças culturais, contudo, todos os árabes eram da mesma raça e diziam-se descendentes de Abraão. Sua religião mostrava uma nítida influência do judaísmo, não apenas por sua proximidade com o "patriarca". Durante esse período, acreditavam em um deus supremo, Alá, porém, não deixavam de adorar uma infinidade de deuses inferiores, os djins, ou gênios – como o da lâmpada de Aladim – e, através de imagens ou totens, continuavam a cultivar o politeísmo de seus ancestrais.

Cada tribo possuía seus próprios ídolos. Apesar de terem um santuário tribal, existia um comum a todos, que se encontrava em Meca, na

A Caaba, em Meca

Caaba, uma construção simples em forma de cubo onde se reverenciava um meteorito negro – a Pedra Negra, trazida do céu pelo Arcanjo Gabriel. Desde antes de Maomé, os fiéis sempre rezaram ao redor da Caaba, em Meca.

Meca ficava numa posição privilegiada, entre as montanhas e o deserto, na intersecção das rotas de caravanas. Isso fez com que a cidade desenvolvesse um intenso comércio. Com um fluxo humano tão grande e tão diversificado, era natural que Meca se tornasse, também, um importante centro religioso. E foi nesse contexto e nessa cidade que nasceu Maomé, ou Muhammad, o criador do Islamismo.

Maomé

Maomé foi, inquestionavelmente, o principal personagem da maior mudança cultural, política e religiosa que já acontecera na Península Arábica. Não havia, ali, uma organização ou instituições políticas, tampouco um sentimento nacional. E foi este o sonho desse homem que conseguiu unir um povo sob uma identidade comum além da língua e da raça.

Maomé, estima-se, nasceu em 570 d.C., no clã dos haxemitas, ramo pobre da poderosa tribo dos coraixitas. Seu Pai, Abd Allah, tombara numa batalha antes do nascimento do líder religioso, e sua mãe, Amina, morreu quando ele tinha perto de 6 anos. Outras fontes, porém, dizem que ela teria morrido semanas após o nascimento do filho. De qualquer forma, o órfão passou para a guarda do tio Abu Talib, da tribo coraixita. Desde cedo ajudando o tio, Maomé acabou se tornando condutor de caravanas, atravessando o deserto e mantendo contato com judeus e cristãos, dos quais adquiriu profundas influências religiosas.

Com o tempo, Maomé desenvolveu uma natureza profundamente religiosa. Calmo e meditativo, ficou, de tal maneira, notório por sua sinceridades, que era procurado para arbitrar disputas. No entanto, algo o desgostava: Maomé detestava a decadência de sua sociedade.

Aos 25 anos, casou-se com a prima Khadija, uma viúva rica, dona de muitos camelos, com quem teve quatro filhos. Entretanto, três morreram ainda crianças, vítimas do "calor do deserto". Maomé só conseguiu criar a última filha, Fátima.

O casamento deu estabilidade material a Maomé e, acredita-se, foi a partir daí que começou a formular os princípios de uma nova doutrina religiosa, iniciando um período de meditações e jejuns. Constantemente isolava-se no deserto, buscando seguir os ensinamentos de Jesus Cristo, a quem considerava um dos últimos profetas.

Nos seus retiros, Maomé questionava os costumes e as práticas religiosas de seus dias. Ele não concordava com o politeísmo e o animismo idólatras da religião

O selo do profeta Maomé

árabe, a imoralidade nas assembleias e quermesses religiosas, o sepultamento em vida de bebês indesejados do sexo feminino e, no âmbito político, ele se incomodava com as incessantes rixas por causa de confessos interesses de religião, honra e poder entre os chefes coraixitas. E meditava em busca de soluções para esses conflitos.

Aos 40 anos de idade, quando estava em um retiro, Maomé recebeu sua primeira revelação por intermédio do Anjo Gabriel. Supostamente, as primeiras revelações foram os primeiros cinco versículos da surata, o Al'Alac, ou Coágulo (de sangue):

Em nome de Deus, Clemente, Misericordioso.
Lê em nome de teu Senhor que tudo criou;
Criou o Homem de um coágulo.
Lê que Teu Senhor é generoso,
que ensinou o uso do cálamo,
ensinou ao homem o que este não sabia.

O Alcorão

Desde a primeira revelação, Maomé continuou a ter visões semelhantes durante os 23 anos seguintes – até a sua morte. O conjunto dessas revelações foi compilado no Alcorão, o livro sagrado do islamismo que forma o corpo da doutrina de Maomé. Dizem que o profeta recitava as revelações a quem quer que estivesse por perto. E estes, por sua vez, memorizavam as revelações, mantendo-as vivas. E a palavra "alcorão" quer dizer justamente isso: "leitura", "recitação". Mas foi somente após a morte de Maomé que o Alcorão assumiu a sua forma atual, sob a direção dos sucessores e companheiros do profeta. Os feitos do profeta foram reunidos num outro livro chamado Suna, no qual se encontram as bases da tradição, formuladas a partir dos exemplos dados por Maomé durante sua vida.

O Alcorão trata de temas como lei, sabedoria, doutrinas e rituais, orientando a criação de uma sociedade mais justa, de uma conduta humana decente e de um sistema econômico com fundamentos sociais. É um texto com conotações nitidamente político-religiosas, assumindo o caráter de uma verdadeira constituição para o povo islâmico. No entanto, o tema principal do Alcorão é o relacionamento de Deus com o ser humano.

Revelações

Os muçulmanos acreditam que as cento e quatorze suratas, ou capítulos, do Alcorão são revelações de Deus ao profeta Maomé (530 – 632 d.C.). Cada palavra desse livro é considerada sagrada. Há outras expressões de Maomé, no Hádice, ou tradição. Essas, porém, não são tidas como sagradas.

O Alcorão é um dos livros mais lidos do mundo e influencia uma parcela enorme da humanidade, uma vez que o islamismo é a segunda maior religião do mundo. Um quinto da população do planeta lê e recita o Alcorão diariamente em todas as mesquitas e escolas muçulmanas.

Não se sabe ao certo se Maomé sabia ler e escrever, mas desde o princípio, seus seguidores registravam por escrito o que ele dizia. Como o papel era extremamente raro, eles usavam qualquer material disponível: pedaços de pergaminho, couro, lascas de pedra, cascas de palmeira, ossos de camelo, tábuas e até mesmo o peito e as costas de pessoas. Pouco depois da morte de Maomé, esses fragmentos foram compilados e unidos no que veio a ser o Alcorão. Com o passar do tempo, algumas adições foram feitas ao texto original, numa tentativa de deixá-lo mais inteligível.

O Alcorão não é ordenado cronologicamente, mas de acordo com o tamanho das suratas. Os capítulos mais compridos vêm primeiro; os menores são os últimos. Das cento e quatorze suratas, cento e treze começam da mesma forma: em nome de Alá, o Clemente, o Misericordioso. Os muçulmanos repetem essa fórmula antes de fazer qualquer coisa importante.

Um Novo Código Ético

Maomé recebeu quase todas as revelações em Meca, sua cidade natal, ou em Yatreb (depois rebatizada de Medina). A primeira delas aconteceu enquanto ele dormia numa gruta perto de Meca. O profeta ouviu o Arcanjo Gabriel instruindo-o com as palavras que formam o início da surata 96. Maomé também estabeleceu novas leis e códigos morais. Na surata 81, por exemplo, depois de afirmar aos seus adeptos que o juízo final provará que ele é o verdadeiro profeta, Maomé recrimina o antigo costume dos nômades árabes de enterrar com vida as meninas recém-nascidas tidas como indesejadas. O profeta, de fato, aboliu esse costume no Islamismo.

Dois Livros

O Alcorão ensina que há dois livros divinos: o Sitchin e o Illiyon. As ações dos maus – tanto homens como espíritos – são registradas no Sitchin. Alá usará esse livro para condenar as almas daqueles cujos nomes estão escritos nele. Os justos, por sua vez, têm seus nomes registrados no Illiyon. Estes desfrutarão de recompensas no céu. O critério que Alá usa é a obediência ou desobediência dos homens às suas leis divinas.

Lembrança Amarga

O único lugar de todo o Alcorão onde há uma crítica aberta a um adversário de Maomé é a surata 111. Abu Lahab era primo do avô do profeta e o único membro do clã que combateu Maomé abertamente. Dizem que Abu Lahab procurou todos os meios para atormentar o profeta. A esposa de Abu também se juntava a ele nesses tormentos. Conta-se que ela jogava ramos de espinhos no caminho, quando via Maomé passando descalço.

Mini Alcorão

A maioria dos pontos importantes da revelação de Maomé está na segunda surata – de longe, a mais comprida de todas. Por isso mesmo é chamada de mini Alcorão. Fala do inferno e do paraíso, traça as normas de alimentação, orienta as relações dos muçulmanos com os judeus e cristãos, prega a moral e ensina os ritos, estabelece regras para as mulheres, o casamento e o divórcio, discorre sobre a guerra santa e muitos outros temas. Como as outras suratas, seu título – *A Vaca* – remete a uma palavra ou um detalhe que chamou mais atenção dos ouvintes. Nesse caso, é a história da vaca amarela.

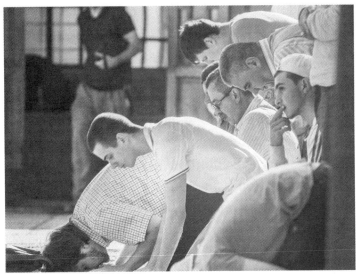

Muçulmanos orando

As Últimas Suratas

Os muçulmanos dizem que as três últimas suratas do Alcorão – 112 a 114 – estão, na verdade, entre as primeiras revelações que Maomé recebeu. *O Culto*, a surata 112, é especialmente venerada no islamismo porque o profeta disse, certa vez, que ela vale tanto quanto um terço do Alcorão. As outras duas suratas são orações em que se pede proteção e refúgio. A surata *A Aurora* é recitada pelos fiéis para dissipar o temor que nasce do desconhecido. A última, *Os Homens*, é rezada para pedir ajuda contra o mal que está oculto no próprio coração, no das outras pessoas e nos espíritos.

Ministério

Depois de sua primeira visão, Maomé se dedicou à conversão dos seus familiares. Após três anos, seguido por um pequeno grupo de fiéis convertidos à nova fé, Maomé começou a pregar para os coraixitas, em frente à Caaba, afirmando a existência de um só Deus: Alá.

No entanto, as mudanças religiosas propostas pelo profeta acabaram por entrar em choque com os líderes coraixitas. Uma vez que Alá, por não ter forma física, estaria em toda parte, a implantação do monoteísmo significaria a diminuição da peregrinação de fiéis rumo à cidade de Meca, prejudicando o comércio que lá se desenvolvia.

Sentindo o perigo daquela subversão de ideias em torno do monoteísmo, os coraixitas tentaram matar o profeta. Alertado por alguns seguidores, Maomé fugiu de Meca para Yatreb, em 622. Essa data, conhecida como Hégira, passou a ser o marco inicial do calendário muçulmano. Em Yatreb, Maomé foi aclamado. A população se converteu praticamente inteira à nova religião. Mas, apesar do seu sucesso, os judeus da cidade se opuseram veementemente a adotar o islamismo. Como resultado, os hebreus foram assassinados em massa. Maomé implantou, então, um governo teocrático, transformando Yatreb em sua base e mudando seu nome para Medina, a cidade do profeta.

A fuga de Meca conscientizou Maomé da inútil tentativa da conversão pacífica. Assim, ele optou pela Guerra Santa. Meca foi sitiada e obrigada a aceitar a volta do profeta, que graças ao apoio dos beduínos, já convertidos, destruiu os ídolos da Caaba, mantendo apenas um único elo entre as tribos: a Pedra Negra, que ainda hoje é venerada pelos peregrinos.

No ano 630, o Estado Árabe estava praticamente formado, unido em torno da bandeira do islamismo e de seu único chefe, Maomé, que assumia não apenas o poder político como também o religioso.

Diz a tradição que o profeta ascendeu aos céus numa nuvem que passava pelo Domo da Rocha, em Jerusalém, em 632. Ele tinha 63 anos.

Xiitas e Sunitas

A morte do profeta dividiu o mundo islâmico. Ele não deixara descendente masculino e nem nomeara claramente um sucessor. Todos os atos, editos e decisões estratégicas eram tomados unicamente por Maomé. Agora, não havia quem ocupasse seu lugar. Duas correntes principais começaram e se esboçar.

O sucessor do profeta seria um governante, um califa. Mas a questão sobre quem era o verdadeiro sucessor de Maomé virou motivo de divisão do islamismo. Em 8 de junho de 632, Abu-Bakr, o sogro de Maomé, foi nomeado como sucessor do profeta, por meio de uma eleição, em que participaram líderes presentes na capital.

A corrente sunita, que além do Alcorão aceita a Suna, o livro que reúne os feitos de Maomé, acatou a eleição de Abu-Bakr como califa e sucessor de Maomé. Mas a outra facção, os xiitas, não concordou com o princípio de cargo eletivo. Os xiitas, que só aceitam o Alcorão como o único livro sagrado, acreditam que a verdadeira liderança deveria vir da linhagem sanguínea do profeta, através de seu primo e genro, Ali ibn Ai Talib. Ali deveria ser o primeiro Imane (líder e sucessor), pois foi ele quem se casou com a filha de Maomé, Fátima, dando ao profeta seus netos, Hasã e Husain. Entretanto, segundo os xiitas, os três primeiros califas sunitas usurparam seu cargo de direito. Ali ibn Ai Talib acabou sendo o quarto Califa.

Durante o governo de Ali, surgiram rivalidades entre os líderes sírios. Houve batalhas sangrentas e, para evitar mais derramamento de sangue, eles resolveram submeter suas disputas ao arbítrio do califa. A decisão de Ali desapontou muitos seguidores, e sua liderança se enfraqueceu. Alguns desses adeptos se tornaram inimigos mortais de Ali. A consequência foi trágica. Em 661, o califa foi assassinado por um caridjita (dissidente) fanático, com um sabre envenenado. E mais uma vez o Islã estava em crise.

Xiitas turcos

Interior da Mesquita do Imã (xiita), em Isfahan, Irã

Divisão

Sempre em desacordo, os grupos antagonistas se dividiram. Os sunitas escolheram um líder que não era da família do profeta, mas que pertencia a um antigo e rico clã de líderes de Meca, os omíadas. Os xiitas, por sua vez, mantiveram-se fiéis à sua tese de que o califa deveria ter laços consanguíneos com o profeta. Para os xiitas, o filho mais velho de Ali, Hasã, neto de Maomé, era o verdadeiro sucessor. Hasã, porém, renunciou e acabou sendo assassinado. Seu irmão Husain tornou-se o novo imame (líder e sucessor), mas também foi morto, por tropas omíadas, em outubro de 689. Sua morte, ou martírio, como os xiitas encaram, causou uma profunda impressão sobre seus fiéis seguidores. Ainda hoje, os xiitas comemoram anualmente o martírio do imame Husain. Fazem procissões em que alguns se cortam com facas e espadas e se autoflagelam de outras formas.

Os xiitas acreditam, também, que houve apenas 12 verdadeiros imames, e que o último, Maomé al-Muntazar, desapareceu em 878 na gruta da grande mesquita de Samarra, sem deixar descendência. Assim, ele se tornou o Mustatir (o imame oculto) ou Muntazar (o esperado). No seu devido tempo ele aparecerá como Madi (divindade-guia) para restaurar o verdadeiro islamismo e preparar o mundo para o fim dos tempos.

Atualmente, os xiitas representam cerca de 20% da população muçulmana, os demais são sunitas. Os xiitas são maioria apenas no Irã, Bahrein e Azerbaijão.

Os Preceitos do Islamismo

Islã, em árabe, tem sua raiz etimológica num outro termo, "salam", que significa "paz". Entretanto, é traduzido, na verdade, como "submissão", "rendição", "entrega". No sentido religioso, Islã teria o sentido de "total submissão à vontade de Alá". Alá, por sua vez, é simplesmente o termo árabe que designa Deus. O "praticante" do islã é chamado de muçulmano.

De acordo com o filósofo franco-argelino Roger Garaudy, no seu livro *Promessas do Islã*, "o tema central do Islã, em todas as suas manifestações, é o duplo movimento de fluxo do homem em direção a Deus e de refluxo de Deus em direção ao homem: 'na verdade, somos de Deus e a Ele retornamos'". Segundo Garaudy, o Islã se sustenta em cinco preceitos. O primeiro deles é a Profissão de Fé: "existe um único Deus e Maomé é seu profeta". O ensinamento contido nesse preceito é que a natureza e os homens, do mesmo modo que a palavra do Alcorão, são uma manifestação de Deus. "Não há nada que não cante seus louvores, mas vocês não compreendem seu canto" (XVII, 44).

O preceito seguinte é a oração. O muçulmano entende que a prece é a participação consciente do homem no canto de louvor que liga todas as criaturas ao seu criador. "Volte a si mesmo para encontrar toda a existência resumida em você". A ablução, ou limpeza, ritual, antes da prece, simboliza o retorno no homem à pureza primitiva, através da qual ele se torna o perfeito espelho de Deus. Salat é o nome das orações obrigatórias que são praticadas cinco vezes ao dia. No Islã não há sacerdotes, as orações são dirigidas por uma pessoa escolhida pela comunidade e que conheça o Alcorão. A salat é realizada ao nascer do sol, ao meio-dia, no meio da tarde, ao crepúsculo e à noite, determinando assim o ritmo do dia todo.

O terceiro preceito é o jejum durante o mês sagrado do Ramadã. O jejum, a interrupção voluntária do ritmo vital, é a afirmação da liberdade do homem em relação ao seu ego e aos seus desejos. Ao mesmo tempo, é a lembrança da presença em nós mesmos daquele que tem fome, incitando o fiel a contribuir para acabar com a miséria do mundo. Todos os anos, durante o mês do Ramadan, os muçulmanos jejuam, desde a alvorada até o pôr do sol. Caso contrário, devem alimentar uma pessoa necessitada para cada dia não jejuado.

O quarto preceito islâmico é o zakat. Esse princípio afirma que "todas as coisas pertencem a Deus, e que a riqueza está apenas confiada ao homem". É uma verdade que lembra o fiel de vencer em si mesmo o egoísmo e a avareza. A palavra *zakat* significa, "purificação" e, ao mesmo tempo, "crescimento". As posses são purificadas com a separação de parte delas para os necessitados. O próprio muçulmano calcula individualmente seu zakat. Geralmente fica em torno de 1 a 2 por cento do capital. Ele deve também, sempre que possível, praticar a caridade (sadaka). O zakat seria como o dízimo para os cristãos. A diferença é que seu destino final é a comunidade, e não a igreja.

O último preceito do islamismo é a peregrinação rumo a Meca. Essa jornada vivifica a viagem interior de cada peregrino em direção ao centro de si mesmo e da sua libertação final. A peregrinação anual a Meca é uma obrigação para aqueles que são física e financeiramente capazes.

Dois milhões de pessoas, aproximadamente, vão a Meca a cada ano, de todas as partes do planeta. Os peregrinos vestem roupas simples, para ficarem iguais perante Deus, independentemente de classe social e cultura.

Uma Oração Islâmica

Al-Fátiha Bessmel'Láh Arrahmán Arrahím.

Al-hamdu lel'Láhe Rabb'el Álamin.

Arrahmán Arrahím.

Máleki yaom'eddin.

Iyyáka naabudú ua Iyáka nastaín.

Ihdena çiráta›l mustaqím.

çiátab›lazína anaamta alaihem ghair'el maghdúbe alaihemm
ualád'dállin.

Em nome de Deus, o Clemente, o Misericordioso.

Louvado seja Deus, Senhor do Universo.

O Clemente, o Misericordioso.

Soberano do Dia do Juízo Final.

A Ti adoramos e a Tua ajuda buscamos.

Guia-nos à senda reta.

À senda dos que agraciaste, não à dos abominados, nem à dos
extraviados.

Jihad

Entre os preceitos básicos da Suna, o livro onde se encontram as bases da tradição muçulmana, está a djihad. Por vezes mal compreendida, a djihad ou jihad pode ser realmente traduzida como "Guerra Santa". Segundo o filósofo franco-argelino convertido ao islamismo Roger Garaudy, "há duas grandes formas de se fazer a Guerra Santa preconizada pelo Profeta: a 'Grande jihad', ou luta contra o ego, e a 'Pequena jihad', que é a busca de persuasão do infiel aos caminhos do Profeta". Garaudy lembra que, no islamismo, "idolatria é adorar como se fosse Deus algo que não é Deus". Nesse sentido, a egolatria é uma das formas mais condenáveis de idolatria e a Grande jihad volta-se a dar combate a esta forma de idolatria. A "Pequena jihad" busca, principalmente pela persuasão, mas à força se necessário, proteger e trazer novos crentes para o Islã.

Dervixes, em Istambul, Turquia

Sufismo: O Lado Místico do Islã

O sufismo é a via mística do Islã. Seu objetivo é purificar o coração dos homens, levando o praticante a atingir a união total com Deus. Embora se considere que a corrente mística sufista tenha nascido nos primeiros tempos do Islã, representada por uma sucessão de sábios e ascetas que surgiram no Iraque, no século 8, ela só foi realmente institucionalizada a partir dos séculos 10 e 11, e não foi antes do século 12 que surgiram as primeiras grandes ordens, ou tarikas.

No princípio, os mestres reuniam em torno de si alguns discípulos, os dervixes, que iam de um lugar para outro em busca de ensinamento. Em seguida, foram fundados conventos ou centros de oração destinados a abrigar os mestres e seus alunos. Apesar do caráter monástico desses conventos, isso não supunha de modo algum o celibato. Aliás, a maioria dos grandes místicos era casada. Esses centros eram, na verdade, lugares privilegiados para a oração e o retiro, onde realizavam todas as práticas sufistas. Recebiam tanto homens como mulheres e sua porta era aberta para o exterior. Além disso, os membros, uma vez admitidos, eram considerados todos irmãos e se encontravam em pé de igualdade. Até o século 12, esses conventos eram isolados. A partir de então, eles se reagruparam em ordens mais amplas, reconhecendo um mestre comum e praticando uma disciplina e um método idênticos: a tarika.

Ao longo dos séculos, muitas vezes, os dervixes se colidiram com o islamismo ortodoxo e suas práticas foram proscritas – como ainda é o caso hoje em dia em alguns países muçulmanos.

A natureza mística do sufismo se apresenta como uma sequência de experiências pessoais que compõem uma busca espiritual interior, levando o homem a realizar a unidade com Deus e reencontrar sua natureza "perfeita", recordando sua origem divina e espiritual. Para recordar essa origem divina, os sufis praticam o *zikr*, termo que significa, ao mesmo tempo, "recordação", "menção", "lembrança", "evocação", "rememoração". O zikr se baseia na repetição de atributos e nomes divinos de Alá, e é também o nome dado às cerimônias sufi, repletas de orações, músicas e, dependendo da ordem sufi, a famosa dança cósmica dos dervixes rodopiantes.

Segundo a doutrina sufi, o Cosmos (Baha'iyya) é delineado por cinco reinos, ou mundos, de Alá: Hahut (Reino do UM), Lahut (Reino do Intelecto), Jabarut (Reino do Poder), Malakut (Reino dos Anjos), e Nasut (Reino da realidade física, mortal). É o mesmo princípio da sefirot, a Árvore da Vida da Cabala judaica.

A Mulher no Islã

A partir do apogeu do movimento feminista em fins dos anos 70 e das cruéis imagens retratando os maus-tratos das mulheres afegãs – o que leva à generalização automática de que esta é a condição de todas as mulheres muçulmanas – o status da mulher islâmica no Ocidente tem sido, no mínimo, vilipendiado. De acordo com o artigo *The Distorted Image of the Muslim Woman*, da americana convertida ao Islã Naasira bint Ellison, publicado na *Hudaa Magazine* de Nova

As mulheres islâmicas devem submissão aos maridos

Iorque e divulgado pela tradutora Sarah Siqueira, essa visão "tem sido utilizada de modo inadequado, já que a perspectiva oferecida por ela se mostra muito seletiva, exagerando uma realidade desconhecida, por conveniência própria. Desta forma, o universo feminino muçulmano é focalizado de maneira tão distorcida, que nada parece familiar àqueles que verdadeiramente o conhecem".

De fato, a realidade é outra. Segundo os muçulmanos, o Alcorão tenciona estabelecer o equilíbrio entre o homem e a mulher, nunca precedendo um em detrimento do outro. A base da religião muçulmana não determina, realmente, qualquer tipo de discriminação grave contra a mulher. No entanto, as interpretações radicais das escrituras deram origem a casos brutais. A opressão contra a mulher é comum nos países que seguem com rigor a sharia, a lei islâmica, e têm tradições contrárias à libertação da mulher – como o Afeganistão sob o regime Taliban. Assim, o problema da opressão à mulher muçulmana não é causado pela crença islâmica em si – ele surgiu em culturas que incorporaram tradições preconceituosas com relação às mulheres.

O que se observa, na verdade, é que a tradição islâmica está cheia de referências positivas ao universo feminino. Uma das mais nobres figuras da história do Islã é uma mulher, Aicha, esposa de Maomé, conhecida por sua inteligência privilegiada e ótima memória. Ela debatia frequentemente com o marido os assuntos da comunidade islâmica, fossem simples ou complexos, influenciando a decisão final. Depois da morte do profeta, ela

Mulheres afegãs seguem seu marido

também foi uma grande preservadora, organizadora e divulgadora das suas tradições.

Outro exemplo é Nafissah, descendente do califa Ali, que ficou famosa por seu conhecimento das ciências e da literatura. As mulheres muçulmanas eram estimuladas a estudar e a aprender, e Nafissah se superou. Dizem que o Iman Shafii, um dos maiores teólogos do Islã, recorria a ela quando lhe assolava uma dúvida em qualquer aspecto do Islã, fosse literário, sociólogo e até mesmo jurídico.

A reverência do Islã pela figura feminina também se expressa na figura da mãe: elas são consideradas sagradas. O próprio Maomé afirmou que "o paraíso está abaixo dos pés das mães".

O Casamento

No Islã, os laços familiares são extremamente importantes. O estudioso islâmico Badar Khan diz que "uma família é entendida como uma estrutura especial cujos elementos principais são ligados uns aos outros através dos laços sanguíneos estabelecidos pelo casamento, que para se concretizarem precisam satisfazer exigências mútuas, definidas pela religião, reforçadas pela lei e institucionalizado pelos indivíduos".

No Islã, os pais desempenham um papel importante na escolha do futuro esposo da filha, consentindo a união para que esta possa se concretizar. Escolhido o noivo, há uma cerimônia de apresentação. Se as duas partes concordam, o casamento é marcado. No ato de assinatura do contrato de casamento, o noivo entrega espontaneamente o dote, (mahr) à noiva. Segundo Khan, o dote não tem outra finalidade senão materializar o respeito do noivo pela esposa.

Apesar da intervenção dos pais na escolha do marido, ou mesmo da esposa e dos filhos, isso não é compulsório, ao menos em tese. Há muitas histórias na literatura muçulmana onde a mulher se nega a casar, não importa o que os pais façam. No final das contas, claro, tudo depende da relação entre pais e filhos. De qualquer maneira, o mandamento do Alcorão é enfático:

"Ó fiéis, não vos é permitido herdar as mulheres contra a vontade delas, nem as atormentar, com o fim de vos apoderardes de uma parte daquilo que as tenhais dotado, a menos que elas tenham cometido comprovada obscenidade. E harmonizai-vos com elas, pois se as menosprezardes, podereis estar depreciando seres que Deus dotou de muitas virtudes".

Jama Masjid

Jama Masjid, uma das principais mesquitas do mundo islâmico, fica em Nova Delhi, Índia. O templo é a última extravagância arquitetônica do imperador mongol Shah Jahan, famoso por ter erigido possivelmente o mais famoso mausoléu do mundo, o Taj Mahal, que fica na parte velha da capital indiana. Cercada por um bazar, uma espécie de mercado oriental, repleto das mais exóticas mercadorias e dos mais bizarros tipos humanos, a mesquita se ergue imponente em meio à miséria e a sujeira ao seu redor. Iniciada em 1644, Jami Masjid só foi terminada 14 anos depois, em 1658. É um complexo impressionante. Três grandes portões recebem os fiéis, às sextas-feiras, o dia de culto dos muçulmanos, que se

Jama Masjid

aglomeram numa confusa massa humana (o santuário tem capacidade para acomodar até vinte e cinco mil pessoas). Quatro torres angulares construídas ao redor do pátio da mesquita aumentam a impressão de grandiosidade. O imenso pátio, onde os fiéis se reúnem no dia de culto, possui alguns tanques para abluções, o que confere uma sensação de frescor em meio ao calor sufocante da cidade.

Mas a característica mais impressionante de Jama Masjid são as duas minaretas – as estreitas torres características dos templos muçulmanos – que se erguem quarenta metros acima do caos de Nova Delhi. As minaretas foram construídas com listras alternadas de arenito vermelho e mármore branco, o que proporciona um belíssimo efeito. Por uma taxa, pode-se subir ao alto das minaretas. As mulheres, porém, só podem ver a vista do alto se acompanhadas de um "parente homem responsável" – pai, marido ou irmão. De fato, numa visita à mesquita em qualquer dia da semana, exceto às sextas-feiras, a presença é esmagadoramente masculina. As poucas mulheres vistas no templo são, praticamente, todas turistas ocidentais.

Referências Bibliográficas

BLEEKER, C.J. *Religions of the Past vol. I*. Boston: E.J. Brill, 1969.

BOWKER, John. *World Religions: The Great Faiths Explored and Explained*. Londres: DK, 2003.

CAMPBELL, Joseph. *O Herói de Mil Faces*. Tradução de Adail Ubirajara Sobral. São Paulo: Cultrix/Pensamento, 1995.

CARR-GOMM, Sarah. *The Hutchinson Dictionary of Symbols in Art*. Oxford: Helicon, 1995.

CHALLAYE, Félicien. *Pequena História das Grandes Religiões*. Tradução de Alcântara Silveira. São Paulo: Ibrasa, 1962.

CRAPANZANO, Vincent. *Serving the World*. Nova York: New Press, 2000.

As Religiões do Mundo

DEMANT, Peter. *O Mundo Muçulmano*. São Paulo: Contexto, 2014.

ELIADE, Mircea. *O Conhecimento Sagrado de Todas as Eras*. Tradução de Luiz L. Gomes. São Paulo: Mercuryo, 1995.

GARAUDY, Roger. *Promessas do Islã*: Nova Fronteira. S/l, 1988.

FERGUS, Jon William (org.) *The Vedas: The Samhitas of the Rig, Yajur (White and Black), Samma and Atharva Vedas*. Tradução para o inglês de Ralph T.H. Griffith e Arthur Berriedale Keith. S/l: Kshetra Books, 2017.

HUXLEY, Aldous. *A Filosofia Perene*. Tradução de Octavio Mendes Cajado. São Paulo: Cultrix, 2007.

JAGUARIBE, Helio. *Um Estudo Crítico da História* vols. I e II. Tradução de Sérgio Bath. São Paulo: Paz e Terra, 2001.

JAMES, William. *The Varieties of Religious Experience*. Nova York: Modern Library, 1999.

KLARE, Michael T. *Sangue e Petróleo*. Tradução de Claudio Blanc. São Paulo: Palíndromo, 2007.

Krakauer, Jon. *Pela Bandeira do Paraíso*. Tradução de S. Duarte. São Paulo: Companhia das Letras, 2005.

MEAD, G.R.S. *A Gnosis Viva do Cristianismo Primitivo*. Brasília: Núcleo Luz, 1995.

PISCHEL, Gina. *História Universal da Arte* vols. I e II. São Paulo: Melhoramentos, 1978.

PEACOCK, John. *O Livro Tibetano da Vida, da Morte e do Renascimento*. Tradução de Carlos Augusto Leuba Salum e Ana Lúcia da Rocha Franco. São Paulo: Pensamento, 2005.

POWERS, John. *Introduction to Tibetan Buddhism*. S/l: Snow Lion Publications, 1995.

Referências Bibliográficas

ROBERTS, J.M. *A Short History of the World*. Oxford: Oxford University Press, 1997.

Sagrada Bíblia Católica: Antigo e Novo Testamentos. Tradução de José Simão. São Paulo: Sociedade Bíblica de Aparecida, 2008.

SMITH, Houston. *As Religiões do Mundo*. Tradução de Merle Scoss. São Paulo: Cultrix, 2005.

_____. *Budismo: Uma Introdução Concisa*. Tradução de Claudio Blanc. São Paulo: Cultrix, 2004.

TRESIDDER, Jack. *The Hutchinson Dictionary of Symbols*. Oxford: Helicon, 1997.

VÁRIOS AUTORES. *O Relatório da CIA: Como Será o Mundo em 2020*. Tradução de Claudio Blanc. Rio de Janeiro: Ediouro, 2006.

YOUNG-EISENDRATH, Polly; DAWSON, Terence (org.). *The Cambridge Companion to Jung*. Cambridge: Cambridge University Press, 2008.